초등 수학 전문가가 만든 연산 교재

원리셈

4
4학년

• 소수의 덧셈과 뺄셈 •

지은이의 말

수학은 원리로부터

수학은 구체물의 관계를 숫자와 기호의 약속으로 나타내는 추상적인 학문입니다. 이 점이 아이들이 수학을 어려워하는 가장 큰 이유입니다. 이러한 수학은 제대로 된 이해를 동반할 때 비로소 힘을 발휘할 수 있습니다. 수학은 어느 단계에서나 원리가 가장 중요합니다.

수학 교육의 변화

답을 내는 방법만 알아도 되는 수학 교육의 시대는 지나고 있습니다. 연산도 한 가지 방법만 반복 연습하기 보다 다양한 풀이 방법이 중요합니다. 교과서는 왜 그렇게 해야 하는지 가르쳐 주고 다양한 방법을 생각하도록 하지만, 학생들은 단순하게 반복되는 연습에 원리는 잊어버리고 기계적으로 답을 내다보니 응용된 내용의 이해가 부족합니다.

연산 학습은 꾸준히

유초등 학습 단계에 따라 4권~6권의 구성으로 매일 10분씩 꾸준히 공부할 수 있습니다. 원리와 다양한 방법의 학습은 그림과 함께 재미있게, 연습은 다양하게 진행하되 마무리는 집중하여 진행하도록 했습니다. 부담 없는 하루 학습량으로 꾸준히 공부하다 보면 어느새 연산 실력이 부쩍 늘어난 것을 알 수 있습니다.

개정판 원리셈은

동영상 강의 확대/초등 고학년 원리 학습 과정 강화 등으로 교과 과정을 완벽하게 대비할 수 있도록 원리와 개념, 계산 방법을 학습합니다. 단계별 원리 학습은 물론이고 연습도 강화했습니다.

학부모님들의 연산 학습에 대한 고민이 원리셈으로 해결되었으면 하는 바람입니다.

지은이 천종현

원리셈의 특징

☑ 원리셈의 학습 구성

한 권의 책은 매일 10분 / 매주 5일 / 6주 학습

☑ 원리셈의 시나브로 강해지는 학습 알고리즘

초등 원리셈은

| 01 원리 이해 | 02 다양한 계산 방법 | 03 충분한 연습 | 04 성취도 확인 |

시작은 원리의 이해로부터, 마무리는 충분한 연습과 성취도 확인까지

☑ 체계적인 학습 구성

쉽게 이해하고 스스로 공부!
실수가 많은 부분은 별도로 확인하고 연습!
주제에 따라 실전을 위한 확장적 사고가 필요한 내용까지!
원리로 시작되는 단계별 학습으로 곱셈구구마저 저절로 외워진다고 느끼도록!

원리셈 전체 단계

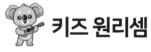 키즈 원리셈

5·6세		6·7세		7·8세	
1권	5까지의 수	1권	10까지의 더하기 빼기 1	1권	7까지의 모으기와 가르기
2권	10까지의 수	2권	10까지의 더하기 빼기 2	2권	9까지의 모으기와 가르기
3권	10까지의 수 세어 쓰기	3권	10까지의 더하기 빼기 3	3권	덧셈과 뺄셈
4권	모아 세기	4권	20까지의 더하기 빼기 1	4권	10 가르기와 모으기
5권	빼어 세기	5권	20까지의 더하기 빼기 2	5권	10 만들어 더하기
6권	크기 비교와 여러 가지 세기	6권	20까지의 더하기 빼기 3	6권	10 만들어 빼기

 초등 원리셈

1학년		2학년		3학년	
1권	받아올림/내림 없는 두 자리 수 덧셈, 뺄셈	1권	두 자리 수 덧셈	1권	세 자리 수의 덧셈과 뺄셈
2권	덧셈구구	2권	두 자리 수 뺄셈	2권	(두/세 자리 수)×(한 자리 수)
3권	뺄셈구구	3권	세 수의 덧셈과 뺄셈	3권	(두/세 자리 수)×(두 자리 수)
4권	□ 구하기	4권	곱셈	4권	(두/세 자리 수)÷(한 자리 수)
5권	세 수의 덧셈과 뺄셈	5권	곱셈구구	5권	곱셈과 나눗셈의 관계
6권	(두 자리 수)±(한 자리 수)	6권	나눗셈	6권	분수

4학년		5학년		6학년	
1권	큰 수의 곱셈	1권	혼합 계산	1권	분수의 나눗셈
2권	큰 수의 나눗셈	2권	약수와 배수	2권	소수의 나눗셈
3권	분모가 같은 분수의 덧셈과 뺄셈	3권	분모가 다른 분수의 덧셈과 뺄셈	3권	비와 비율
4권	소수의 덧셈과 뺄셈	4권	분수와 소수의 곱셈	4권	비례식과 비례배분

초등 원리셈의 단계별 학습 목표

원리와 연습을 모두 잡는 원리셈!!

학년별 학습 목표와 다른 책에서는 만나기 힘든 특별한 내용을 확인해 보세요.

◉ 1학년 원리셈

모든 연산 과정 중 실수가 가장 많은 덧셈, 뺄셈의 집중 연습
여러 가지 계산 방법 알기
덧셈, 뺄셈의 관계를 이용한 '□ 구하기'의 이해

◉ 2학년 원리셈

두 자리 덧셈, 뺄셈의 여러 가지 계산 방법의 숙지와 이해
곱셈 개념을 폭넓게 이해하고, 곱셈구구를 힘들지 않게 외울 수 있는 구성
나눗셈은 3학년 교과의 내용이지만 곱셈구구를 외우는 것을 도우면서 곱셈구구의 범위에서 개념 위주 학습

◉ 3학년 원리셈

기본 연산은 정확한 이해와 충분한 연습
곱셈, 나눗셈의 관계를 이용한 '□ 구하기'의 이해
분수는 학생들이 어려워 하는 부분을 중점적으로 이해하고, 연습하도록 구성

◉ 4학년 원리셈

작은 수의 곱셈, 나눗셈 방법을 확장하여 이해하는 큰 수의 곱셈, 나눗셈
교과서에는 나오지 않는 실전적 연산을 포함
많이 틀리는 내용은 별도 집중학습

◉ 5학년 원리셈

연산은 개념과 유형에 따라 단계적으로 학습 후 충분한 연습
약수와 배수는 기본기를 단단하게 할 수 있는 체계적인 구성

◉ 6학년 원리셈

분수와 소수의 나눗셈은 원리를 단순화하여 이해
비의 개념을 확장하여 문장제 문제 등에서 만나는 비례 관계의 이해와 적용
비와 비례식은 중등 수학을 대비하는 의미도 포함. 강추 교재!!

4학년 구성과 특징

1, 2권은 자연수의 곱셈과 나눗셈을 마무리하는 책입니다. 큰 수의 곱셈과 나눗셈을 공부하면서 0이 많은 셈의 규칙을 살펴봅니다. 3권은 분모가 같은 분수의 덧셈과 뺄셈, 4권은 소수의 덧셈과 뺄셈은 원리를 이해하고, 충분한 연습을 하도록 했습니다.

원리

원리를 직관적으로 이해하고 쉽게 공부할 수 있도록 하였습니다.

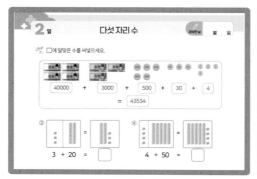

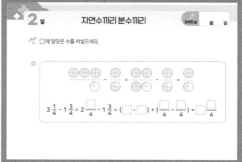

다양한 계산 방법

다양한 계산 방법을 공부함으로써 수를 다루는 감각을 키우고, 상황에 따라 더 정확하고 빠른 계산을 할 수 있도록 하였습니다.

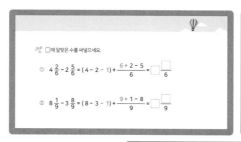

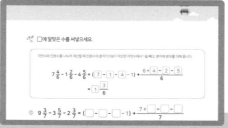

연습

기본 연습 문제를 중심으로 여러 형태의 문제로 지루하지 않게 반복하여 연습할 수 있도록 구성하였습니다.

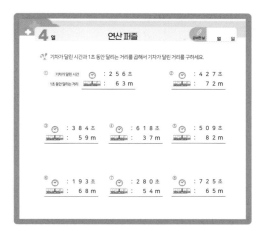

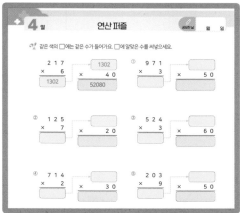

도전! 계산왕

주제가 구분되는 두 개의 단원은 정확성과 빠른 계산을 위한 집중 연습으로 주제를 마무리 합니다.

성취도 평가

개념의 이해와 연산의 수행에 부족한 부분은 없는지 성취도 평가를 통해 확인합니다.

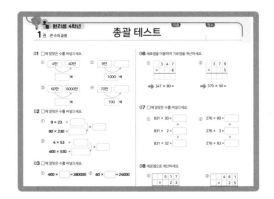

원리셈 100% 활용하기

☑ 책의 사이사이에 학생의 학습을 돕기 위한 저자의 내용을 잘 이용하세요.

단원의 학습 내용과 방향

한 주차가 시작되는 쪽의 아래에 그 단원의 학습 내용과 어떤 방향으로 공부하는지를 설명해 놓았습니다.
학부모님이나 학생이 단원을 시작하기 전에 가볍게 읽어 보고 공부하도록 해 주세요.

이해를 돕는 저자의 동영상 강의

처음 접하는 원리/개념과 연산 방법의 이해를 돕기 위한 동영상 강의가 있으니 이해가 어려운 내용은 QR코드를
이용하여 편리하게 동영상 강의를 보고, 공부하도록 하세요.

학습 Tip   간략한 도움글은 각 쪽의 아래에 있습니다.

천종현수학연구소 네이버 카페와 홈페이지를 활용하세요.

카페와 홈페이지에는 추가 문제 자료가 있고, 연산 외에서 수학 학습에 어려움을 상담 받을 수 있습니다.

네이버에서 천종현수학연구소를 검색하세요.

1주차
소수의 이해

소수에서 가장 많은 실수는 소수점의 위치입니다. 분수와 소수의 관계와 소수 사이의 관계를 알고 측정의 단위를 바꾸는 것을 연습하면서 소수점의 위치를 집중적으로 공부하도록 합니다.

소수

- 0.1은 1을 10으로 나눈 것 중 1이고, 0.01은 1을 100으로 나눈 것 중 1이며 0.001은 1을 1000으로 나눈 것 중 1입니다.

동영상 해설

☐ 안에 알맞은 소수를 써넣으세요.

①

②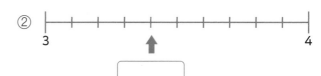

③

④

⑤

⑥

⑦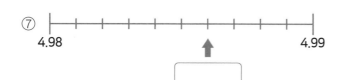

⑧

⑨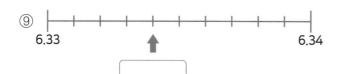

⑩

⑪

⑫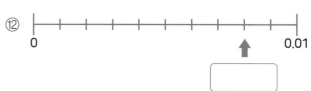

- 2.703에서 2는 일의 자리 숫자이고 2를 나타냅니다.

  7은 소수 첫째 자리 숫자이고 0.7을 나타냅니다.

  0은 소수 둘째 자리 숫자입니다.

  3은 소수 셋째 자리 숫자이고 0.003을 나타냅니다.

밑줄 친 숫자가 나타내는 수를 쓰세요.

3.4<u>6</u>1 ➡ (0.06   )   ① 0.87<u>3</u> ➡ (   )

② 7.<u>7</u>72 ➡ (   )   ③ 12.00<u>3</u> ➡ (   )

④ 5.30<u>4</u> ➡ (   )   ⑤ 9.4<u>4</u>6 ➡ (   )

같은 줄에서 밑줄 친 숫자가 나타내는 수가 가장 큰 소수에 ◯표 하세요.

5.<u>4</u>2	9.00<u>8</u>	8.<u>2</u>37	1.3<u>9</u>1
12.0<u>0</u>7	0.<u>5</u>1	5.88<u>9</u>	1.<u>4</u>5
6.7<u>2</u>0	20.53<u>9</u>	0.8<u>7</u>2	4.5<u>4</u>2

● 분수와 소수의 관계

$$\frac{1}{100} = 0.01 \qquad \frac{1}{1000} = 0.001 \qquad \frac{346}{1000} = 0.346$$

분수는 소수로, 소수는 분수로 바꾸어 보세요.

$$\frac{408}{100} = 4.08$$

① $\frac{1}{10} =$

② $\frac{408}{1000} =$

③ $\frac{25}{1000} =$

④ $\frac{109}{100} =$

⑤ $\frac{3501}{1000} =$

⑥ $\frac{342}{10} =$

⑦ $\frac{1703}{100} =$

⑧ $\frac{7}{1000} =$

$$10.48 = \frac{1048}{100}$$

⑨ $5.07 =$

⑩ $1.395 =$

⑪ $4.98 =$

⑫ $12.34 =$

⑬ $0.561 =$

⑭ $4.09 =$

⑮ $3.501 =$

⑯ $0.605 =$

 ip

자릿수 비교의 의미로 분모가 10, 100, 1000인 형태로만 나타냅니다.

소수 사이의 관계

- 소수 사이의 관계 (1)

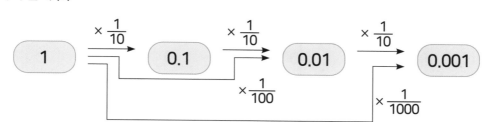

🔍 알맞은 소수를 쓰세요.

3.02

① $3.02 \times \dfrac{1}{10} =$ ② $5.01 \times \dfrac{1}{10} =$

③ $4.02 \times \dfrac{1}{10} =$ ④ $6.25 \times \dfrac{1}{10} =$

⑤ $6.3 \times \dfrac{1}{100} =$ ⑥ $31.6 \times \dfrac{1}{100} =$

⑦ $25 \times \dfrac{1}{100} =$ ⑧ $2.8 \times \dfrac{1}{100} =$

⑨ $12 \times \dfrac{1}{1000} =$ ⑩ $59 \times \dfrac{1}{1000} =$

Tip $\dfrac{1}{10}$ 배를 하면 소수점이 왼쪽으로 1칸, $\dfrac{1}{100}$ 배를 하면 2칸 이동합니다.

・ 소수 사이의 관계 (2)

$$0.001 \xrightarrow{\times 10} 0.01 \xrightarrow{\times 10} 0.1 \xrightarrow{\times 10} 1$$

×100

×1000

🔍 알맞은 소수를 쓰세요.

0.57

① $0.57 \times 10 =$

② $0.086 \times 10 =$

③ $8.443 \times 10 =$

④ $4.03 \times 10 =$

⑤ $8.443 \times 100 =$

⑥ $4.056 \times 100 =$

⑦ $2.76 \times 100 =$

⑧ $1.07 \times 100 =$

⑨ $0.471 \times 100 =$

⑩ $0.25 \times 1000 =$

⑪ $0.562 \times 1000 =$

⑫ $6.47 \times 1000 =$

Tip
10배를 하면 소수점이 오른쪽으로 1칸, 100배를 하면 2칸 이동합니다.

알맞은 소수를 쓰세요.

① $2.68 \times 1000 =$

② $0.27 \times \dfrac{1}{10} =$

③ $0.014 \times 100 =$

④ $5.8 \times 1000 =$

⑤ $2.042 \times 10 =$

⑥ $34 \times \dfrac{1}{1000} =$

⑦ $4.6 \times \dfrac{1}{100} =$

⑧ $0.4 \times \dfrac{1}{10} =$

⑨ $1.05 \times 100 =$

⑩ $156 \times \dfrac{1}{1000} =$

⑪ $9.67 \times 1000 =$

⑫ $5.672 \times 10 =$

⑬ $41.67 \times \dfrac{1}{10} =$

⑭ $7.2 \times \dfrac{1}{100} =$

□ 구하기

□ 안에 알맞은 수를 골라 번호를 써넣으세요.

❶ 10	❷ 100	❸ 1000
❹ $\frac{1}{10}$	❺ $\frac{1}{100}$	❻ $\frac{1}{1000}$

① $4.17 \times \boxed{} = 0.417$

② $3.25 \times \boxed{} = 32.5$

③ $15 \times \boxed{} = 0.015$

④ $0.46 \times \boxed{} = 46$

⑤ $1.05 \times \boxed{} = 10.5$

⑥ $0.032 \times \boxed{} = 32$

⑦ $8.6 \times \boxed{} = 0.86$

⑧ $39 \times \boxed{} = 0.039$

⑨ $0.472 \times \boxed{} = 47.2$

⑩ $98 \times \boxed{} = 0.98$

⑪ $0.29 \times \boxed{} = 290$

⑫ $0.256 \times \boxed{} = 2.56$

□ 안에 들어갈 수가 같은 것끼리 선으로 이으세요.

$\boxed{} \times 51.6 = 0.0516$ •

• $\boxed{} \times 300 = 0.3$

$\boxed{} \times 3.25 = 32.5$ •

• $\boxed{} \times 77.1 = 7.71$

$63.25 \times \boxed{} = 6.325$ •

• $0.502 \times \boxed{} = 50.2$

$47 \times \boxed{} = 0.47$ •

• $\boxed{} \times 0.851 = 851$

$0.042 \times \boxed{} = 4.2$ •

• $1.72 \times \boxed{} = 17.2$

$\boxed{} \times 0.0251 = 25.1$ •

• $0.5 \times \boxed{} = 0.005$

□ 안에 알맞은 수를 써넣으세요.

① [ ] × 100 = 41.8

② [ ] × 10 = 3.87

③ [ ] × 1000 = 159

④ [ ] × 100 = 3.4

⑤ [ ] × 1000 = 114

⑥ [ ] × 100 = 57.3

⑦ [ ] × 10 = 13.4

⑧ [ ] × 1000 = 597

⑨ [ ] × 100 = 74.5

⑩ [ ] × 100 = 62.5

⑪ [ ] × 10 = 0.38

⑫ [ ] × 1000 = 19

⑬ [ ] × 100 = 74.3

⑭ [ ] × 100 = 19.3

● 길이의 단위

$$1\,km = 1000\,m \qquad 1\,m = 100\,cm \qquad 1\,cm = 10\,mm$$

$$1\,m = 0.001\,km \qquad 1\,cm = 0.01\,m \qquad 1\,mm = 0.1\,cm$$

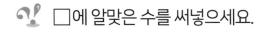 □에 알맞은 수를 써넣으세요.

① 2.4 km = ☐ m   ② 13 cm = ☐ mm   ③ 720 m = ☐ km

④ 8630 mm = ☐ cm   ⑤ 0.042 km = ☐ m   ⑥ 5 km = ☐ m

⑦ 5.56 m = ☐ cm   ⑧ 4300 mm = ☐ cm   ⑨ 9.32 cm = ☐ mm

⑩ 6 m = ☐ cm = ☐ mm   ⑪ 0.051 km = ☐ m = ☐ cm

⑫ 3.59 m = ☐ cm = ☐ mm   ⑬ 3400 cm = ☐ m = ☐ km

⑭ 4500 mm = ☐ cm = ☐ m   ⑮ 784 mm = ☐ cm = ☐ m

- 무게의 단위

    1 kg = 1000 g

    1 g = 0.001 kg

- 들이의 단위

    1 L = 1000 mL

    1 mL = 0.001 L

□에 알맞은 수를 써넣으세요.

① 356 g = [   ] kg   ② 2300 g = [   ] kg   ③ 58 g = [   ] kg

④ 1278 g = [   ] kg   ⑤ 4059 g = [   ] kg   ⑥ 3.02 kg = [   ] g

⑦ 0.02 kg = [   ] g   ⑧ 4.208 kg = [   ] g   ⑨ 0.086 kg = [   ] g

⑩ 1500 mL = [   ] L   ⑪ 250 mL = [   ] L   ⑫ 3260 mL = [   ] L

⑬ 682 mL = [   ] L   ⑭ 1090 mL = [   ] L   ⑮ 2.5 L = [   ] mL

⑯ 0.04 L = [   ] mL   ⑰ 1.62 L = [   ] mL   ⑱ 10.5 L = [   ] mL

□에 알맞은 수를 써넣으세요.

① 547 mm

= ⬚ cm

= ⬚ m

② 12.7 cm

= ⬚ mm

= ⬚ m

③ 0.582 m

= ⬚ cm

= ⬚ mm

④ 93.7 cm

= ⬚ m

= ⬚ mm

⑤ 567 g

= ⬚ kg

⑥ 3.87 kg

= ⬚ g

⑦ 12 g

= ⬚ kg

⑧ 1.5 L

= ⬚ mL

⑨ 3980 mL

= ⬚ L

⑩ 1.43 L

= ⬚ mL

문제를 읽고 알맞은 식과 답을 써 보세요.

① 정수네 집에서 학교까지는 216 m입니다. 정수가 학교까지 가는 데 10분이 걸린다면 정수가 1분 동안 걷는 거리는 몇 m일까요?

식 : _____ 답 : _____m

② 지수는 1.5 L짜리 음료수를 사서 $\frac{1}{100}$ 을 마셨습니다. 지수는 음료수를 몇 L 마셨을까요?

식 : _____ 답 : _____L

③ 1.4 m 길이의 끈을 똑같이 10개로 자르면 끈 1개의 길이는 몇 m일까요?

식 : _____ 답 : _____m

④ 찬희는 1.2 L짜리 음료수를 10개의 컵에 똑같이 따라서 9명의 친구들과 나누어 마셨습니다. 찬희가 마신 음료수는 몇 L일까요?

식 : _____ 답 : _____L

⑤ 호두과자 100개의 무게를 재어 보니 985 g입니다. 호두과자 1개의 무게는 몇 g일까요?

식 : _____ 답 : _____g

⑥ 세훈이가 10분 동안 걸은 거리는 0.83 km입니다. 세훈이는 1분에 몇 km를 걸었을까요?

식 : _____ 답 : _____km

😊 문제를 읽고 알맞은 식과 답을 써 보세요.

① 홍규는 10분에 0.123 km씩 산을 올라가서 1시간 40분 만에 정상에 도착하였습니다. 홍규가 등산을 하면서 걸은 거리는 몇 km일까요?

　　식 : _____　　답 : _____ km

② 진수네 차는 기름을 넣으면 1 L당 12.7 km를 갑니다. 진수네 차에 100 L의 기름을 넣으면 몇 km를 갈 수 있을까요?

　　식 : _____　　답 : _____ km

③ 미술 동호회에서 단체 작품을 만드는 데 한 사람당 4.648 m의 종이 끈이 필요합니다. 동호회 회원 100명에게 필요한 종이 끈을 한 번에 구입하려면 몇 m를 구입해야 할까요?

　　식 : _____　　답 : _____ m

④ 과수원에서 사과를 수확하여 상자에 포장하는 데 한 개의 무게가 0.245 kg인 사과를 한 상자에 10개씩 담습니다. 한 상자에 담긴 사과의 무게는 몇 kg일까요?

　　식 : _____　　답 : _____ kg

⑤ 한 시간에 83.69 km를 달리는 자동차가 있습니다. 이 자동차가 같은 빠르기로 10시간 동안 달리는 거리는 몇 km일까요?

　　식 : _____　　답 : _____ km

⑥ 100분 동안 일정한 속력으로 125.75 km를 달리는 자동차가 있습니다. 이 자동차가 1분 동안 달리는 거리는 몇 km일까요?

　　식 : _____　　답 : _____ km

문제를 읽고 알맞은 답을 구하세요.

① 성수가 가지고 있는 구슬 100개의 무게는 2.6 kg입니다. 구슬 1개의 무게는 몇 g일까요?

답 : _____ g

② 수정이 집에서 학교까지의 거리는 327 m입니다. 수정이가 학교를 갔다 오면 적어도 몇 km를 걸어야 할까요?

답 : _____ km

③ 234 mm 길이의 연필 5자루를 한 줄로 놓은 길이는 몇 m일까요?

답 : _____ m

④ 아인이가 지난 주에 380 mL짜리 음료수 3개를 마셨습니다. 아인이가 지난 주에 마신 음료수는 모두 몇 L일까요?

답 : _____ L

⑤ 후종이 아빠의 차는 기름을 1 L 넣으면 10.6 km를 갑니다. 후종이 아빠의 차에 기름 100 mL를 넣으면 몇 m를 갈 수 있을까요?

답 : _____ m

⑥ 똑같은 배 10개의 무게는 4.52 kg입니다. 배 1개의 무게는 몇 g일까요?

답 : _____ g

• **2**주차 •

자릿수가 같은 소수의 덧셈과 뺄셈

자릿수가 같은 소수의 덧셈과 뺄셈은 자연수의 덧셈과 뺄셈의 원리와 똑같습니다. 두 수의 자리를 맞추어 같은 자리 숫자끼리 더하거나 빼면 됩니다. 받아올림, 받아내림을 틀리거나 소수점을 빠뜨리지 않도록 하여 연습하도록 합니다.

자릿수가 같은 소수의 덧셈

동영상 해설

🎵 소수의 덧셈을 하세요.

0.1이 3개	+	0.1이 18개	➡	0.1이 ⬚ 개
0.3	+	1.8	=	⬚
0.01이 27개	+	0.01이 9개	➡	0.01이 ⬚ 개
0.27	+	0.09	=	⬚

① 0.6 + 0.5 =

② 0.9 + 0.9 =

③ 0.4 + 0.7 =

④ 2.7 + 0.7 =

⑤ 1.8 + 1.5 =

⑥ 0.7 + 3.3 =

⑦ 1.6 + 0.8 =

⑧ 2.4 + 1.9 =

⑨ 1.8 + 2.7 =

⑩ 0.08 + 0.07 =

⑪ 0.26 + 0.05 =

⑫ 0.35 + 0.09 =

⑬ 3.14 + 0.18 =

⑭ 0.26 + 0.05 =

⑮ 0.28 + 1.28 =

세로셈으로 계산하세요.

```
      1                          1  1                       1  1
    0 . 5   3                  0 . 5   3                  0 . 5   3
  + 0 . 6   8        →       + 0 . 6   8        →       + 0 . 6   8
  ───────────                ───────────                ───────────
            1                      2   1                  1   2   1
    3 + 8 = 11                1 + 5 + 6 = 12
```

```
      1                          1  1                       1  1
    5 . 4   6                  5 . 4   6                  5 . 4   6
  + 9 . 5   8        →       + 9 . 5   8        →       + 9 . 5   8
  ───────────                ───────────                ───────────
            4                      0   4              1   5   0   4
    6 + 8 = 14                1 + 4 + 5 = 10            1 + 5 + 9 = 15
```

①
```
    0 . 6   7
  + 0 . 2   9
  ───────────
    □ . □   □
```

②
```
    0 . 5   8
  + 0 . 8   4
  ───────────
    □ . □   □
```

③
```
    0 . 9   7
  + 0 . 6   5
  ───────────
    □ . □   □
```

④
```
    3 . 7   3
  + 0 . 2   8
  ───────────
    □ . □   □
```

⑤
```
    6 . 1   1
  + 1 . 7   3
  ───────────
    □ . □   □
```

⑥
```
    4 . 9   7
  + 1 . 9   4
  ───────────
    □ . □   □
```

Tip 소수의 세로셈 덧셈은 자리를 맞추어 계산한 후, 소수점을 내려 찍습니다.

세로셈으로 계산하세요.

① 　 0. 4 6
　 + 0. 3 7

② 　 0. 5 8
　 + 0. 2 4

③ 　 0. 8 3
　 + 0. 3 9

④ 　 0. 5 8
　 + 0. 7 2

⑤ 　 0. 9 6
　 + 0. 4 5

⑥ 　 0. 6 7
　 + 0. 4 8

⑦ 　 3. 4 7
　 + 0. 7 5

⑧ 　 5. 6 8
　 + 3. 4 8

⑨ 　 4. 9 4
　 + 2. 5 9

⑩ 　 5 7. 7
　 + 2 3. 6

⑪ 　 2 9. 8
　 + 　 6. 3

⑫ 　 2 5. 7
　 + 3 6. 4

⑬ 　 5 0. 7
　 + 　 9. 8

⑭ 　 0. 9 6
　 + 4. 0 7

⑮ 　 3 6. 7
　 + 　 6. 5

🔍 잘못 계산한 것을 찾아 바르게 고치세요.

$0.4 + 0.7 = 0.11$　　$0.8 + 0.5 = 1.3$　　$0.4 + 0.6 = 1$

$0.62 + 0.59 = 12.1$　　$0.73 + 0.17 = 0.9$　　$0.34 + 0.88 = 1.22$

$5.28 + 2.07 = 7.35$　　$2.35 + 1.76 = 4.11$　　$2.64 + 0.67 = 2.31$

$3.82 + 1.65 = 5.57$　　$1.08 + 1.89 = 2.97$　　$5.46 + 2.76 = 8.22$

$5.72 + 7.17 = 12.89$　　$0.04 + 0.27 = 0.67$　　$1.35 + 2.05 = 3.4$

$7.2 + 12.7 = 19.9$　　$25.4 + 1.6 = 41.4$　　$27.8 + 6.9 = 34.7$

가로셈을 세로셈으로 고쳐서 계산하세요.

① 0.57 + 0.68 =

+0.68

② 0.28 + 0.54 =

③ 0.53 + 0.46 =

④ 5.04 + 5.89 =

⑤ 8.47 + 3.43 =

⑥ 4.51 + 9.79 =

⑦ 46.3 + 77.8 =

⑧ 8.6 + 38.6 =

⑨ 6.5 + 30.7 =

⑩ 15.5 + 6.9 =

⑪ 8.3 + 42.8 =

⑫ 0.35 + 35.4 =

⑬ 47.8 + 5.9 =

⑭ 56.7 + 38.2 =

⑮ 7.6 + 63.4 =

□에 알맞은 수를 써넣으세요.

① 0.6   1.7

② 1.5   1.9

③ 0.3   2.7

④ 1.8   0.4

⑤ 2.4   1.6

⑥ 0.7   2.8

⑦ 0.04   0.18

⑧ 0.19   0.02

⑨ 0.14   0.18

⑩ 0.22   0.08

⑪ 0.05   0.27

⑫ 0.16   0.16

⑬ 0.29   0.05

⑭ 0.16   0.14

⑮ 0.35   0.09

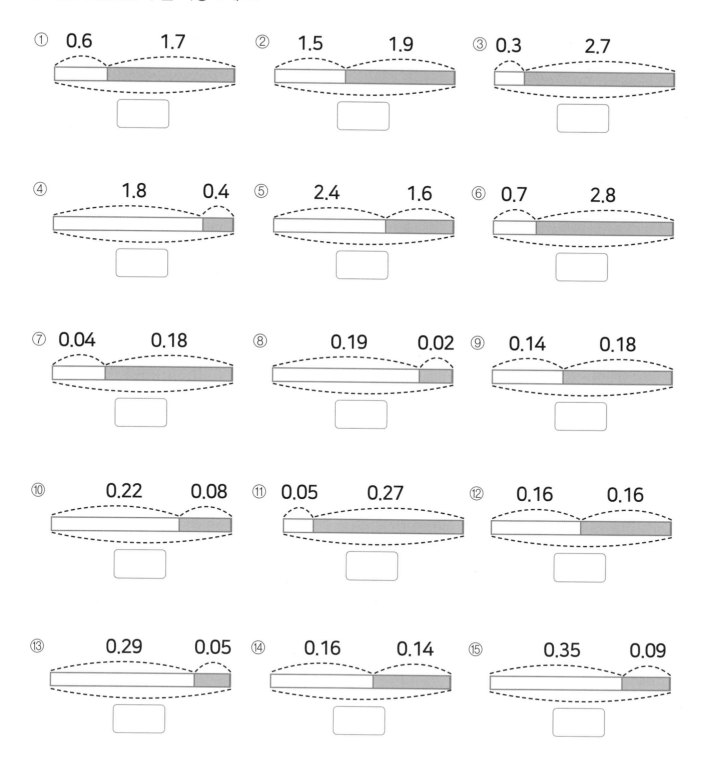

공부한 날   월   일

동영상 해설

소수의 뺄셈을 하세요.

0.1이 12개 - 0.1이 4개 ➡ 0.1이 [   ]개

1.2 - 0.4 = [   ]

0.01이 35개 - 0.01이 8개 ➡ 0.01이 [   ]개

0.35 - 0.08 = [   ]

① 0.6 - 0.5 =

② 0.9 - 0.3 =

③ 0.7 - 0.2 =

④ 1.6 - 0.8 =

⑤ 3.2 - 0.7 =

⑥ 1.9 - 1.5 =

⑦ 6.2 - 2.5 =

⑧ 5.0 - 2.3 =

⑨ 3.4 - 1.7 =

⑩ 0.56 - 0.38 =

⑪ 4.48 - 0.27 =

⑫ 0.82 - 0.54 =

⑬ 3.56 - 0.35 =

⑭ 1.54 - 0.47 =

⑮ 0.86 - 0.39 =

세로셈으로 계산하세요.

```
        5  10
  0 . 6̶  4
-  0 . 3  8
──────────
           6
    14 - 8 = 6
```

➡️

```
        5  10
  0 . 6̶  4
-  0 . 3  8
──────────
  0 . 2  6
    5 - 3 = 2
```

```
        1  10
  6 . 2̶  6
-  1 . 5  9
──────────
           7
    16 - 9 = 7
```

➡️

```
        10
     5  1  10
  6̶ . 2̶  6
-  1 . 5  9
──────────
        6  7
    11 - 5 = 6
```

➡️

```
        10
     5  1  10
  6̶ . 2̶  6
-  1 . 5  9
──────────
  4  6  7
    5 - 1 = 4
```

①
```
  0 . 7  6
-  0 . 2  9
──────────
 ☐ . ☐  ☐
```

②
```
  0 . 4  7
-  0 . 1  8
──────────
 ☐ . ☐  ☐
```

③
```
  0 . 6  2
-  0 . 3  5
──────────
 ☐ . ☐  ☐
```

④
```
  2 . 7  4
-  0 . 1  8
──────────
 ☐ . ☐  ☐
```

⑤
```
  8 . 0  1
-  4 . 4  3
──────────
 ☐ . ☐  ☐
```

⑥
```
  4 . 9  7
-  3 . 9  4
──────────
 ☐ . ☐  ☐
```

Tip 소수의 세로셈 뺄셈은 덧셈과 마찬가지로 자리를 맞추어 계산한 후, 소수점을 그대로 내려서 찍습니다.

세로셈으로 계산하세요.

①
```
  0. 4 7
- 0. 2 8
```

②
```
  0. 6 1
- 0. 3 2
```

③
```
  0. 5 3
- 0. 1 7
```

④
```
  5. 0 1
- 0. 2 6
```

⑤
```
  8. 2 2
- 2. 5 3
```

⑥
```
  4. 1 3
- 2. 7 6
```

⑦
```
  9. 7 6
- 3. 6 9
```

⑧
```
  6. 1 3
- 1. 0 5
```

⑨
```
  8. 0 3
- 1. 6 9
```

⑩
```
  5 6. 2
- 1 8. 7
```

⑪
```
  7 2. 3
-    5. 4
```

⑫
```
  4 4. 1
- 3 6. 9
```

⑬
```
  1 3. 6
-    2. 8
```

⑭
```
  1 9. 1
-    4. 3
```

⑮
```
  2 8. 5
- 1 3. 9
```

뺄셈 사다리를 완성하세요.

5 . 7 3
− 2 . 6 7
3 . 0 6
− 1 . 4 9
1 . 5 7

①
| 8 . 0 7 |
| − 4 . 3 6 |
| |
| − 0 . 9 2 |

②
| 5 3 . 1 |
| − 1 4 . 7 |
| |
| − 2 0 . 6 |

③
| 6 3 . 5 |
| − 2 4 . 6 |
| |
| − 8 . 6 |

④
| 7 2 . 4 |
| − 1 7 . 9 |
| |
| − 3 5 . 8 |

⑤
| 5 . 6 1 |
| − 0 . 6 3 |
| |
| − 3 . 7 9 |

⑥
| 8 6 . 2 |
| − 5 4 . 7 |
| |
| − 1 7 . 5 |

⑦
| 7 . 0 4 |
| − 1 . 4 3 |
| |
| − 4 . 5 2 |

⑧
| 4 1 . 2 |
| − 8 . 4 |
| |
| − 1 4 . 6 |

가로셈을 세로셈으로 고쳐서 계산하세요.

① 2.35 − 0.68 =
  −0.68

② 4.37 − 2.89 =

③ 6.31 − 5.86 =

④ 3.16 − 1.92 =

⑤ 8.49 − 3.62 =

⑥ 7.63 − 6.99 =

⑦ 2.47 − 0.48 =

⑧ 5.26 − 3.78 =

⑨ 6.52 − 2.65 =

⑩ 59.2 − 39.7 =

⑪ 43.6 − 4.9 =

⑫ 27.4 − 8.4 =

⑬ 90.2 − 31.8 =

⑭ 86.2 − 12.9 =

⑮ 34.7 − 9.8 =

□에 알맞은 수를 써넣으세요.

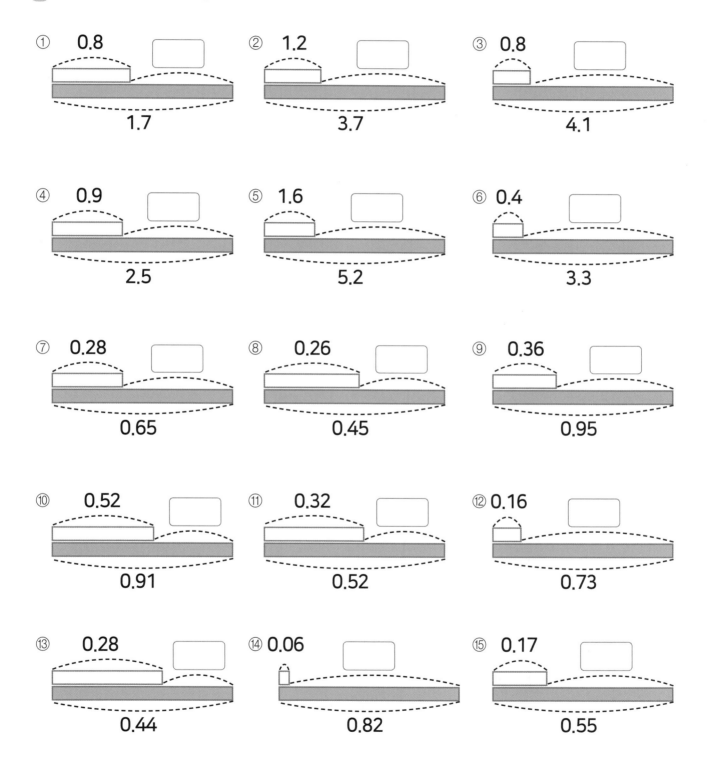

① 0.8 ☐
1.7

② 1.2 ☐
3.7

③ 0.8 ☐
4.1

④ 0.9 ☐
2.5

⑤ 1.6 ☐
5.2

⑥ 0.4 ☐
3.3

⑦ 0.28 ☐
0.65

⑧ 0.26 ☐
0.45

⑨ 0.36 ☐
0.95

⑩ 0.52 ☐
0.91

⑪ 0.32 ☐
0.52

⑫ 0.16 ☐
0.73

⑬ 0.28 ☐
0.44

⑭ 0.06 ☐
0.82

⑮ 0.17 ☐
0.55

글을 보고 물음에 알맞은 식을 세우고 답을 구하세요.

그림과 같이 가 컵과 나 컵에 물이 있습니다. 가 컵에서 240 mL, 나 컵에서 150 mL의 물을 마셨습니다.

가
0.46 L

나
0.28 L

---

① 가 컵에 남은 물은 몇 mL일까요?

식 : _____ 답 : _____ mL

② 나 컵에 남은 물은 몇 mL일까요?

식 : _____ 답 : _____ mL

③ 두 컵에 남은 물을 합치면 몇 mL일까요?

식 : _____ 답 : _____ mL

😀 문제를 읽고 알맞은 식과 답을 써 보세요.

① 영어책의 두께는 2.5 cm인데 수학책은 영어책보다 8 mm 더 두껍습니다. 수학책의 두께는 몇 cm일까요?

식 : _____ 답 : _____ cm

② 혜진이는 학교에 갈 때 0.68 km는 버스를 타고 가고 0.24 km는 걸어갑니다. 혜진이가 집에서 학교까지 가는 길은 모두 몇 km일까요?

식 : _____ 답 : _____ km

③ 나무 막대를 똑같은 길이 두 개로 잘랐더니 나무 막대 1개의 길이가 1.97 m가 되었습니다. 자르기 전 나무 막대의 길이는 몇 m일까요?

식 : _____ 답 : _____ m

④ 수진이가 집에 있던 종이 끈에서 1.25 m를 잘라 학교 준비물로 가져갔습니다. 집에 돌아와 끈을 확인해 보니 15.86 m가 남아 있었다면 수진이가 자르기 전 끈의 길이는 몇 m일까요?

식 : _____ 답 : _____ m

문제를 읽고 알맞은 식과 답을 써 보세요.

① 4.25 cm길이의 못을 벽에 박고 튀어나온 부분을 재어 보니 1.08 cm입니다. 못이 벽에 박힌 부분은 몇 cm일까요?

식 : _____ 답 : _____ cm

② 다인이가 몸무게를 재었더니 33.23 kg입니다. 지난주에 몸무게를 재었을 때는 35.02 kg이었다면 일주일 동안 몸무게가 몇 kg이 줄었을까요?

식 : _____ 답 : _____ kg

③ 컴퓨터의 영화 폴더에 11.5 GB의 파일이 있었는데 오래된 영화 1개를 지웠더니 폴더의 파일의 용량이 5.8 GB가 되었습니다. 지운 영화의 용량은 몇 GB일까요?

식 : _____ 답 : _____ GB

④ 성재는 아침에 1.36 km를 뛰었습니다. 내일 아침 성재의 목표는 2.15 km를 뛰는 것입니다. 내일은 성재가 오늘보다 몇 km를 더 뛰어야 할까요?

식 : _____ 답 : _____ km

· **3**주차 ·

도전! 계산왕

1일 ①

자릿수가 같은 소수의 덧셈과 뺄셈

계산을 하세요.

①
$$\begin{array}{r} 9.954 \\ +\ 5.856 \\ \hline \end{array}$$

②
$$\begin{array}{r} 2.77 \\ +\ 7.11 \\ \hline \end{array}$$

③
$$\begin{array}{r} 4.618 \\ +\ 7.725 \\ \hline \end{array}$$

④
$$\begin{array}{r} 7.4 \\ -\ 2.9 \\ \hline \end{array}$$

⑤
$$\begin{array}{r} 5.24 \\ -\ 1.24 \\ \hline \end{array}$$

⑥
$$\begin{array}{r} 9.5 \\ -\ 7.6 \\ \hline \end{array}$$

⑦ 8.7 + 1.3 =

⑧ 8.011 + 9.655 =

⑨ 9.7 + 5.2 =

⑩ 9.26 + 4.71 =

⑪ 9.11 − 2.99 =

⑫ 7.8 − 0.3 =

⑬ 8.8 − 0.9 =

⑭ 7.57 − 1.25 =

⑮ 2.586 − 1.503 =

자릿수가 같은 소수의 덧셈과 뺄셈

😃 계산을 하세요.

①
```
   4. 1 6
 + 9. 0 1
```

②
```
   4. 3 7
 + 4. 0 1
```

③
```
   9. 8
 + 1. 1
```

④
```
   7. 9 7 4
 - 1. 2 1 3
```

⑤
```
   9. 8 5
 - 2. 4 5
```

⑥
```
   7. 1
 - 3. 7
```

⑦ 3.16 + 0.41 =

⑧ 2.771 + 4.697 =

⑨ 8.33 + 6.91 =

⑩ 0.864 + 5.854 =

⑪ 6.81 - 3.29 =

⑫ 2.75 - 0.57 =

⑬ 8.1 - 4.8 =

⑭ 7.94 - 1.07 =

⑮ 4.4 - 1.2 =

자릿수가 같은 소수의 덧셈과 뺄셈

계산을 하세요.

①
$$\begin{array}{r} 1.6\ 1\ 4 \\ +\ 7.2\ 1\ 7 \\ \hline \end{array}$$

②
$$\begin{array}{r} 7.8 \\ +\ 6.6 \\ \hline \end{array}$$

③
$$\begin{array}{r} 3.8\ 4\ 2 \\ +\ 6.1\ 6\ 9 \\ \hline \end{array}$$

④
$$\begin{array}{r} 4.0\ 9\ 5 \\ -\ 0.1\ 6\ 2 \\ \hline \end{array}$$

⑤
$$\begin{array}{r} 6.6\ 6\ 4 \\ -\ 0.3\ 1\ 1 \\ \hline \end{array}$$

⑥
$$\begin{array}{r} 1.5\ 1 \\ -\ 0.0\ 7 \\ \hline \end{array}$$

⑦ $9.23 + 0.78 =$

⑧ $6.848 + 1.946 =$

⑨ $3.04 + 5.21 =$

⑩ $6.7 + 0.5 =$

⑪ $6.1 - 4.7 =$

⑫ $2.542 - 1.943 =$

⑬ $0.4 - 0.4 =$

⑭ $8.767 - 6.612 =$

⑮ $6.57 - 2.18 =$

2일 ❷ 자릿수가 같은 소수의 덧셈과 뺄셈

🔔 계산을 하세요.

①
$$
\begin{array}{r}
0.352 \\
+\ 0.141 \\
\hline
\end{array}
$$

②
$$
\begin{array}{r}
3.243 \\
+\ 3.582 \\
\hline
\end{array}
$$

③
$$
\begin{array}{r}
0.26 \\
+\ 5.33 \\
\hline
\end{array}
$$

④
$$
\begin{array}{r}
8.91 \\
-\ 1.43 \\
\hline
\end{array}
$$

⑤
$$
\begin{array}{r}
9.38 \\
-\ 2.89 \\
\hline
\end{array}
$$

⑥
$$
\begin{array}{r}
5.73 \\
-\ 4.55 \\
\hline
\end{array}
$$

⑦ $7.658 + 4.679 =$

⑧ $2.9 + 4.1 =$

⑨ $7.4 + 0.1 =$

⑩ $3.5 + 0.7 =$

⑪ $3.39 - 0.59 =$

⑫ $6.11 - 2.71 =$

⑬ $4.1 - 4.1 =$

⑭ $6.869 - 3.412 =$

⑮ $8.37 - 1.86 =$

자릿수가 같은 소수의 덧셈과 뺄셈

 계산을 하세요.

①
```
   6. 3 8 2
 + 3. 4 9 4
```

②
```
   1. 5 1
 + 2. 2 1
```

③
```
   9. 7 9 1
 + 7. 8 0 5
```

④
```
   6. 4 7 7
 - 3. 2 9 9
```

⑤
```
   9. 8
 - 7. 5
```

⑥
```
   9. 1 5 8
 - 2. 9 9 5
```

⑦ 5.1 + 3.5 =

⑧ 2.011 + 1.548 =

⑨ 0.026 + 4.672 =

⑩ 2.44 + 6.41 =

⑪ 9.245 - 8.025 =

⑫ 1.801 - 0.775 =

⑬ 6.985 - 5.961 =

⑭ 4.6 - 2.3 =

⑮ 7.86 - 6.73 =

3일 ❷ 자릿수가 같은 소수의 덧셈과 뺄셈

계산을 하세요.

①
$$\begin{array}{r} 5.88 \\ +\ 0.13 \\ \hline \end{array}$$

②
$$\begin{array}{r} 6.19 \\ +\ 9.95 \\ \hline \end{array}$$

③
$$\begin{array}{r} 6.985 \\ +\ 8.088 \\ \hline \end{array}$$

④
$$\begin{array}{r} 2.353 \\ -\ 0.221 \\ \hline \end{array}$$

⑤
$$\begin{array}{r} 8.3 \\ -\ 4.4 \\ \hline \end{array}$$

⑥
$$\begin{array}{r} 6.034 \\ -\ 4.383 \\ \hline \end{array}$$

⑦ 8.43 + 6.81 =

⑧ 6.1 + 4.9 =

⑨ 1.5 + 6.1 =

⑩ 9.43 + 8.65 =

⑪ 4.72 - 2.55 =

⑫ 8.006 - 5.261 =

⑬ 9.7 - 6.7 =

⑭ 3.771 - 2.307 =

⑮ 5.513 - 2.434 =

자릿수가 같은 소수의 덧셈과 뺄셈

계산을 하세요.

①
$$2.6 + 2.8$$

②
$$5.75 + 8.57$$

③
$$1.91 + 1.21$$

④
$$7.7 - 3.6$$

⑤
$$4.1 - 2.3$$

⑥
$$6.35 - 3.23$$

⑦ $0.001 + 2.477 =$

⑧ $2.79 + 1.41 =$

⑨ $0.4 + 7.1 =$

⑩ $4.8 + 2.1 =$

⑪ $6.825 - 0.805 =$

⑫ $9.513 - 7.409 =$

⑬ $8.1 - 4.6 =$

⑭ $8.81 - 8.75 =$

⑮ $4.569 - 1.113 =$

4일 ❷ **자릿수가 같은 소수의 덧셈과 뺄셈**

💡 계산을 하세요.

①
$$\begin{array}{r} 4.45 \\ +\ 3.07 \\ \hline \end{array}$$

②
$$\begin{array}{r} 0.8 \\ +\ 5.1 \\ \hline \end{array}$$

③
$$\begin{array}{r} 2.1 \\ +\ 0.6 \\ \hline \end{array}$$

④
$$\begin{array}{r} 8.082 \\ -\ 3.314 \\ \hline \end{array}$$

⑤
$$\begin{array}{r} 8.048 \\ -\ 1.061 \\ \hline \end{array}$$

⑥
$$\begin{array}{r} 5.5 \\ -\ 0.9 \\ \hline \end{array}$$

⑦ $0.1 + 9.7 =$

⑧ $7.731 + 7.507 =$

⑨ $3.5 + 3.9 =$

⑩ $3.523 + 2.925 =$

⑪ $7.3 - 4.4 =$

⑫ $5.07 - 1.14 =$

⑬ $6.1 - 5.9 =$

⑭ $9.82 - 6.35 =$

⑮ $8.34 - 2.31 =$

5일 ❶ 자릿수가 같은 소수의 덧셈과 뺄셈

계산을 하세요.

①
```
  7. 1 8
+ 9. 0 1
```

②
```
  7. 8 2 8
+ 7. 6 4 1
```

③
```
  5. 1
+ 0. 1
```

④
```
  8. 3 4 7
- 1. 1 7 7
```

⑤
```
  9. 3 4 8
- 0. 2 5 1
```

⑥
```
  8. 2
- 6. 9
```

⑦ 3.3 + 4.1 =

⑧ 3.5 + 4.4 =

⑨ 1.3 + 0.2 =

⑩ 4.159 + 0.715 =

⑪ 1.66 − 0.11 =

⑫ 3.924 − 3.267 =

⑬ 5.48 − 2.66 =

⑭ 6.2 − 5.5 =

⑮ 8.3 − 6.6 =

자릿수가 같은 소수의 덧셈과 뺄셈

🎵 계산을 하세요.

①
```
   4 . 4 2
+  0 . 3 6
```

②
```
   3 . 4 7 8
+  9 . 2 1 1
```

③
```
   4 . 4 5 4
+  1 . 3 1 3
```

④
```
   2 . 7 0 1
-  1 . 7 8 4
```

⑤
```
   4 . 8
-  1 . 2
```

⑥
```
   5 . 8
-  3 . 8
```

⑦ 4.6 + 9.2 =

⑧ 8.4 + 8.1 =

⑨ 0.5 + 6.7 =

⑩ 9.8 + 7.9 =

⑪ 7.74 - 2.11 =

⑫ 7.134 - 1.787 =

⑬ 8.3 - 4.1 =

⑭ 7.74 - 7.02 =

⑮ 8.6 - 5.9 =

• **4**주차 •

자릿수가 다른 소수의 덧셈

자릿수가 다른 소수의 덧셈은 자릿수별로 더하는 자연수의 덧셈과 원리가 같지만 소수점의 자리를 맞추어서 계산을 해야 합니다. 소수점의 자리가 맞춰진 세로셈으로 연습을 한 다음 가로셈을 직접 세로셈으로 고쳐서 연습합니다.

🦔 빈칸에 알맞은 수를 써넣으세요.

0.5 + 0.18　➡　0.1이 　5　개 + 0.01이 　18　개

= 0.50 + 0.18　➡　0.01이 　50　개 + 0.01이 　18　개

= 　0.68　➡　0.01이 　68　개

---

① 　4.07 + 3.4　➡　0.01이 ☐ 개 + 0.1이 ☐ 개

= 4.07 + 3.40　➡　0.01이 ☐ 개 + 0.01이 ☐ 개

= ☐　➡　0.01이 ☐ 개

---

② 　1.7 + 0.135　➡　0.1이 ☐ 개 + 0.001이 ☐ 개

= 1.700 + 0.135　➡　0.001이 ☐ 개 + 0.001이 ☐ 개

= ☐　➡　0.001이 ☐ 개

---

③ 　12.6 + 5.64　➡　0.1이 ☐ 개 + 0.01이 ☐ 개

= 12.60 + 5.64　➡　0.01이 ☐ 개 + 0.01이 ☐ 개

= ☐　➡　0.01이 ☐ 개

빈칸에 알맞은 수를 써넣으세요.

①   **0.97 + 1.6** ➡️ 0.01이 [　　　] 개 + 0.1이 [　　　] 개

    = **0.97 + 1.60** ➡️ 0.01이 [　　　] 개 + 0.01이 [　　　] 개

    = [　　　] ➡️ 0.01이 [　　　] 개

②   **0.307 + 0.5** ➡️ 0.001이 [　　　] 개 + 0.1이 [　　　] 개

    = **0.307 + 0.500** ➡️ 0.001이 [　　　] 개 + 0.001이 [　　　] 개

    = [　　　] ➡️ 0.001이 [　　　] 개

③   **10.7 + 2.63** ➡️ 0.1이 [　　　] 개 + 0.01이 [　　　] 개

    = **10.70 + 2.63** ➡️ 0.01이 [　　　] 개 + 0.01이 [　　　] 개

    = [　　　] ➡️ 0.01이 [　　　] 개

④   **5.9 + 12.35** ➡️ 0.1이 [　　　] 개 + 0.01이 [　　　] 개

    = **5.90 + 12.35** ➡️ 0.01이 [　　　] 개 + 0.01이 [　　　] 개

    = [　　　] ➡️ 0.01이 [　　　] 개

소수의 덧셈을 하세요.

0.60 + 0.53
① 0.6 + 0.53 =

② 0.9 + 0.75 =

③ 0.5 + 0.48 =

④ 0.7 + 0.45 =

⑤ 0.4 + 1.61 =

⑥ 10.6 + 0.23 =

⑦ 7.53 + 0.5 =

⑧ 2.7 + 0.35 =

⑨ 8.6 + 0.74 =

⑩ 0.082 + 0.06 =

⑪ 0.074 + 0.08 =

⑫ 0.027 + 0.28 =

⑬ 0.03 + 0.075 =

⑭ 0.56 + 0.013 =

⑮ 0.044 + 0.08 =

세로셈

동영상 해설

💡 세로셈으로 계산하세요.

```
    4 . 5 3           1                    1
  + 8 . 7 0         4 . 5 3              4 . 5 3
  ─────────       + 8 . 7 0            + 8 . 7 0
          3       ─────────            ─────────
                      2 3              1 3 . 2 3
                   5 + 7 = 12          1 + 4 + 8 = 13
```

```
        1             1 1                  1 1
    2 . 9 7 6       2 . 9 7 6            2 . 9 7 6
  +   . 3 4 0     +   . 3 4 0          +   . 3 4 0
  ─────────       ─────────            ─────────
          1 6         3 1 6            3 . 3 1 6
    7 + 4 = 11      1 + 9 + 3 = 13       1 + 2 = 3
```

①
```
    6 . 6 7
  + 4 . 8
  ─────────
  [ ][ ].[ ][ ]
```

②
```
    4 . 5
  + 7 . 8 5
  ─────────
  [ ][ ].[ ][ ]
```

③
```
    5 . 9
  + 9 . 6 5
  ─────────
  [ ][ ].[ ][ ]
```

④
```
    2 9 . 7 6
  +  3 . 4
  ─────────
  [ ][ ].[ ][ ]
```

⑤
```
    2 . 5 1
  + 3 . 6 0 8
  ─────────
  [ ][ ].[ ][ ]
```

⑥
```
    1 6 . 8 5
  +  5 . 7
  ─────────
  [ ][ ].[ ][ ]
```

Tip 자리가 서로 다른 소수의 세로셈 덧셈에서는 소수점의 자리를 맞추어 쓴 다음, 소수점 아래로 숫자가 빈 곳에는 0이 있다고 생각하여 계산하고 소수점의 위치는 변경 없이 그대로 내려서 적습니다.

세로셈으로 계산하세요.

①
```
   1 6 5.
+    8 8.2
```

②
```
   3 3.7 5
+    1 2.6
```

③
```
   4.4
+  3.7 4 6
```

④
```
   1 7.
+ 3 0 4.3
```

⑤
```
   2 4.3
+    7.5 4
```

⑥
```
   3 4.8 1
+      6.4
```

⑦
```
   6 5.1
+ 2 5 9.
```

⑧
```
   1.7 2
+ 4.3 7 4
```

⑨
```
   2 8.3
+    3.9 2
```

⑩
```
   4.6
+ 1.8 2 5
```

⑪
```
   6.4 7 3
+ 0.9
```

⑫
```
   2.4 6
+ 2.3 9 4
```

⑬
```
   3.0 3 4
+ 0.5 7
```

⑭
```
   2.6
+ 3.3 9 2
```

⑮
```
   6.2 9 4
+ 0.0 5
```

🐌 세로셈으로 계산하세요.

①
```
  1.0 7 4
+ 3.8 5
```

②
```
  2 5.9 8
+     6.3
```

③
```
  2.7
+ 0.6 3 9
```

④
```
    4.8 4
+ 1 8.6
```

⑤
```
  6.4 2
+ 7.6
```

⑥
```
  1 2.6 7
+ 2 0.8
```

⑦
```
  2 6.7 2
+     7.5
```

⑧
```
  4.6 7
+ 1.9 0 3
```

⑨
```
  5.4
+ 2.8 3 7
```

⑩
```
    3.8
+ 2 7.4 9
```

⑪
```
  5.6 1 8
+ 4.5
```

⑫
```
  5 0.6 7
+     8.8
```

⑬
```
  2.5 0 1
+ 5.9
```

⑭
```
    2.7
+ 1 9.5 2
```

⑮
```
  4.5
+ 9.7 1 6
```

가로셈을 소수점에 맞추어 세로셈으로 고쳐서 계산하세요.

0.68 + 9.5

```
    0.68
+   9.5
---------
   10.18
```

① 0.9 + 3.38

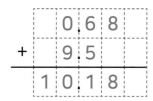

② 9.7 + 0.55

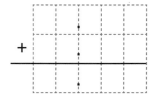

③ 1.61 + 59.3

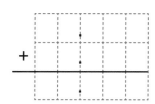

④ 2.07 + 23.8

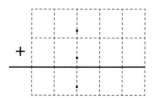

⑤ 17.9 + 5.27

⑥ 9.3 + 0.998

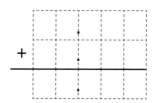

⑦ 1.73 + 3.498

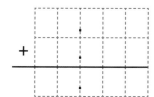

⑧ 15.062 + 8.74

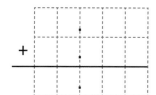

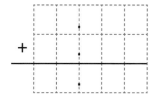

가로셈을 소수점에 맞추어 세로셈으로 고쳐서 계산하세요.

① 20.89 + 0.3

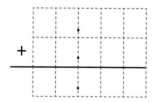

② 0.008 + 0.4

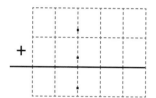

③ 7.34 + 1.028

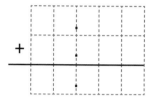

④ 15.3 + 4.72

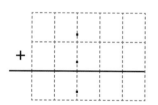

⑤ 6.28 + 0.168

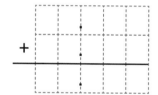

⑥ 41.8 + 7.82

⑦ 5.58 + 0.079

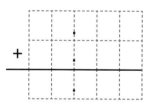

⑧ 0.893 + 0.39

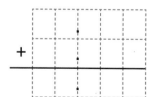

⑨ 5.746 + 0.93

가로셈을 세로셈으로 고쳐서 계산하세요.

① 6.6 + 15.78 =
  + 15.78

② 4.632 + 3.7 =

③ 0.36 + 7.306 =

④ 7.6 + 0.49 =

⑤ 8.9 + 3.062 =

⑥ 3.632 + 10.5 =

⑦ 2.7 + 8.48 =

⑧ 5.216 + 3.7 =

⑨ 6.42 + 6.6 =

⑩ 53.7 + 3.51 =

⑪ 4.63 + 5.9 =

⑫ 8.462 + 5.8 =

⑬ 9.2 + 4.18 =

⑭ 36.2 + 1.259 =

⑮ 34.7 + 2.483 =

두 수의 합을 구하세요.

① 12.68   5.4

② 0.7   13.47

③ 1.67   4.625

④ 5.28   8.9

⑤ 17.73   2.452

⑥ 7.9   3.496

⑦ 6.7   0.448

⑧ 8.6   7.75

⑨ 2.5   5.357

⑩ 51.23   9.7

⑪ 4.5   0.968

⑫ 27.43   3.9

빈 곳에 알맞은 수를 써넣으세요.

+ →		
1.2	0.06	
3.25	5.1	

+ →		
0.007	1.29	
3.24	4.1	

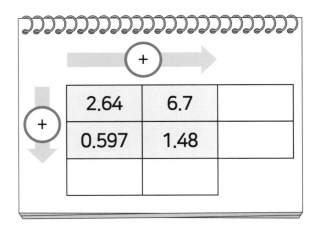

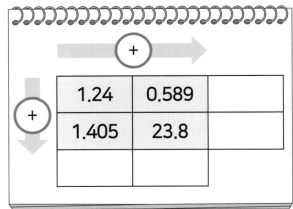

계산이 잘못된 세로셈에 △표 하고, 빈 곳에 바르게 계산하세요.

```
  0.5 4        4.2          2.0 9
+   0.5      + 0.5 5      + 8.9
─────────    ─────────    ─────────
  0.5 9        4.7 5      1 0.9 9
```

```
  3.4          2.5 7        0.9 4
+ 1.7 5      + 0.  5      + 0.7 9
─────────    ─────────    ─────────
  5.1 5        2.6 2        1.7 3
```

```
  0.0 8      1 0.1 2        3.0 5
+ 0.0 7      +   0.7      + 2.0 8
─────────    ─────────    ─────────
  0.1 5      1 0.8 2        5.0 1 3
```

```
  0.8 4        1.5 4        6.0 4
+ 0.5 8      + 1.5 4      + 0.0 9
─────────    ─────────    ─────────
  0.1 4 2       3.0 8        6.1 3
```

그림을 보고 물음에 알맞은 식을 세우고 답을 구하세요.

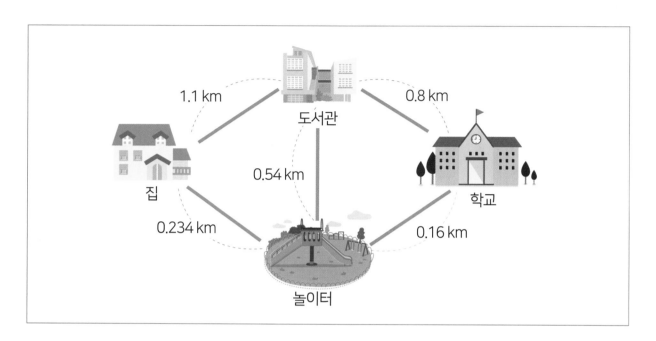

① 집에서 놀이터를 지나 학교까지의 거리는 몇 km인가요?

식 : _____   답 : _____ km

② 집에서 도서관에 책을 반납하고 놀이터에 가려면 적어도 몇 km를 걸어야 할까요?

식 : _____   답 : _____ km

③ 학교에서 도서관 앞을 지나 놀이터까지의 거리는 몇 km인가요?

식 : _____   답 : _____ km

💡 문제를 읽고 알맞은 식과 답을 써 보세요.

① 500원짜리 동전의 무게는 7.7 g이고, 100원짜리 동전의 무게는 5.42 g입니다. 두 동전의 무게의 합은 몇 g일까요?

식 : _____ 답 : _____ g

② 진수는 지난주 일요일에 자전거를 타고 8.256 km를 달렸는데 이번 주 일요일에는 지난주보다 2.9 km를 더 달렸습니다. 이번 주에 자전거를 타고 달린 거리는 몇 km인가요?

식 : _____ 답 : _____ km

③ 오준이네 집에 어제 전기 사용량을 확인해 보니 16.547 kwh가 나왔는데 오늘은 0.86 kwh를 더 사용하였습니다. 오준이네 집에서 오늘 사용한 전기 사용량은 몇 kwh인가요? (kwh는 전기 사용량의 단위입니다.)

식 : _____ 답 : _____ kwh

④ 호재가 작년에 키를 재었을 때는 1.4 m였는데 일년 사이에 키가 15 cm가 컸습니다. 호재의 현재 키는 몇 m일까요?

식 : _____ 답 : _____ m

문제를 읽고 알맞은 식과 답을 써 보세요.

① 2.8 L의 물이 담긴 물통에 360 mL의 물을 더 부었습니다. 물통의 물은 몇 L가 되었을까요?

식 : _____   답 : _____ L

② 종인이의 책가방의 무게는 0.96 kg입니다. 종인이는 무게가 463 g인 책 한 권을 책가방에 넣었습니다. 책을 넣은 책가방의 무게는 몇 kg일까요?

식 : _____   답 : _____ kg

③ 집에서 도서관까지의 거리는 1.8 km이고, 도서관에서 학교까지의 거리는 350 m입니다. 집에서 도서관을 거쳐 학교까지 걸어가면 걷는 거리는 몇 km일까요?

식 : _____   답 : _____ km

④ 재현이 아빠가 벽을 색칠할 주황색 페인트를 만들기 위해서 빨간색 페인트 1.4 L와 노란색 페인트 872 mL를 섞었습니다. 만들어진 주황색 페인트는 몇 L인가요?

식 : _____   답 : _____ L

• **5**주차 •

자릿수가 다른 소수의 뺄셈

자릿수가 다른 소수의 뺄셈은 자릿수별로 빼는 자연수의 뺄셈과 원리가 같지만 소수점의 자리를 맞추어서 계산을 해야 합니다. 소수점의 자리가 맞춰진 세로셈으로 연습을 한 다음 가로셈을 직접 세로셈으로 고쳐서 연습합니다.

빈칸에 알맞은 수를 써넣으세요.

$0.7 - 0.26$ ➡ 0.1이 [7] 개 − 0.01이 [26] 개

$= 0.70 - 0.26$ ➡ 0.01이 [70] 개 − 0.01이 [26] 개

$= [0.44]$ ➡ 0.01이 [44] 개

---

① $5.64 - 1.7$ ➡ 0.01이 [　] 개 − 0.1이 [　] 개

$= 5.64 - 1.70$ ➡ 0.01이 [　] 개 − 0.01이 [　] 개

$= [　]$ ➡ 0.01이 [　] 개

② $3.8 - 0.306$ ➡ 0.1이 [　] 개 − 0.001이 [　] 개

$= 3.800 - 0.306$ ➡ 0.001이 [　] 개 − 0.001이 [　] 개

$= [　]$ ➡ 0.001이 [　] 개

③ $5 - 3.47$ ➡ 0.1이 [　] 개 − 0.01이 [　] 개

$= 5.00 - 3.47$ ➡ 0.01이 [　] 개 − 0.01이 [　] 개

$= [　]$ ➡ 0.01이 [　] 개

빈칸에 알맞은 수를 써넣으세요.

① 3.07 − 1.9 ➡ 0.01이 [   ]개 − 0.1이 [   ]개

= 3.07 − 1.90 ➡ 0.01이 [   ]개 − 0.01이 [   ]개

= [   ] ➡ 0.01이 [   ]개

② 4.62 − 3.8 ➡ 0.01이 [   ]개 − 0.1이 [   ]개

= 4.62 − 3.8 ➡ 0.01이 [   ]개 − 0.01이 [   ]개

= [   ] ➡ 0.01이 [   ]개

③ 6.1 − 1.416 ➡ 0.1이 [   ]개 − 0.001이 [   ]개

= 6.100 − 1.416 ➡ 0.001이 [   ]개 − 0.001이 [   ]개

= [   ] ➡ 0.001이 [   ]개

④ 2.5 − 1.69 ➡ 0.1이 [   ]개 − 0.01이 [   ]개

= 2.50 − 1.69 ➡ 0.01이 [   ]개 − 0.01이 [   ]개

= [   ] ➡ 0.01이 [   ]개

소수의 뺄셈을 하세요.

0.40 - 0.33

① 0.4 − 0.33 =

② 4.5 − 0.07 =

③ 0.8 − 0.21 =

④ 12.1 − 0.54 =

⑤ 3.28 − 1.5 =

⑥ 30.6 − 0.26 =

⑦ 0.04 − 0.018 =

⑧ 0.3 − 0.052 =

⑨ 6.43 − 0.7 =

⑩ 0.169 − 0.03 =

⑪ 1.7 − 0.64 =

⑫ 0.2 − 0.018 =

⑬ 5.8 − 0.061 =

⑭ 0.95 − 0.6 =

⑮ 3.4 − 0.83 =

세로셈

😊 세로셈으로 계산하세요.

동영상 해설

```
        5  10
   4 . 6  0
 - 2 . 7  7
 ──────────
          3
   10 - 7 = 3
```
➡
```
      10
   3  5
   4 . 6  0
 - 2 . 7  7
 ──────────
        8  3
   15 - 7 = 8
```
➡
```
      10
   3  5
   4 . 6  0
 - 2 . 7  7
 ──────────
   1  8  3
   3 - 2 = 1
```

```
   3  2 . 7  4
 -     5 . 2  0
 ──────────────
            4
```
➡
```
   3  2 . 7  4
 -     5 . 2  0
 ──────────────
          5  4
   7 - 2 = 5
```
➡
```
   2  10
   3  2 . 7  4
 -     5 . 2  0
 ──────────────
   2  7  5  4
   12 - 5 = 7
```

①
```
   5 . 4  7
 - 2 . 7
 ──────────
   □ . □ □
```

②
```
   8 . 3
 - 4 . 8  6
 ──────────
   □ . □ □
```

③
```
   5 . 7
 - 2 . 5  9
 ──────────
   □ . □ □
```

④
```
   2  3 . 7  4
 -     5 . 2
 ──────────────
   □  □ . □ □
```

⑤
```
   3 . 3  4
 - 2 . 0  4  8
 ──────────────
   □ . □ □ □
```

⑥
```
   3  1 . 5  2
 -     4 . 9
 ──────────────
   □  □ . □ □
```

Tip

자리가 서로 다른 소수의 세로셈 뺄셈은 덧셈과 마찬가지로 소수점의 자리를 맞추어 쓴 다음, 소수점 아래로 숫자가 빈 곳에는 0이 있다고 생각하여 계산하고 소수점의 위치는 그대로 내려서 적습니다.

 세로셈으로 계산하세요.

①
```
  3 2.5
-   5.6 2
```

②
```
    7.8
-  3.4 3 6
```

③
```
  1 3.8 5
-     4.6
```

④
```
  2 5.3
- 1 0.8 3
```

⑤
```
  2 4.6 7
-     6.9
```

⑥
```
  1 7.3
-   7.8 2
```

⑦
```
  2 5.4 1
-     6.9
```

⑧
```
  5 3.3
-   8.7 4
```

⑨
```
  4.3 2
- 1.2 7 4
```

⑩
```
  4.6
- 1.9 4 7
```

⑪
```
  3.1 8 3
- 1.0 9
```

⑫
```
  3.3 8
- 0.9
```

⑬
```
  5.7 0 4
- 0.8 3
```

⑭
```
  3.6
- 2.3 9 2
```

⑮
```
  3.5
- 2.7 9 2
```

💡 세로셈으로 계산하세요.

①
```
  1.3 3
- 0.7 8 5
```

②
```
  4 3.8 5
-   1 7.5
```

③
```
  4.4
- 3.7 4 6
```

④
```
  3.4 7
- 0.9 4 3
```

⑤
```
  2 2.3
-   6.8 4
```

⑥
```
  2 4.4 1
-     7.8
```

⑦
```
  4.6 4 2
- 1.5 8
```

⑧
```
  5.7 2
- 0.4 8 5
```

⑨
```
  1 7.2
-   3.9 2
```

⑩
```
  5.7
- 2.9 3 6
```

⑪
```
  6.3 6 2
- 2.8
```

⑫
```
  4.6 2
- 2.3 9 4
```

⑬
```
  2.5 0 4
- 0.2 7
```

⑭
```
  5.6
- 3.2 5 9
```

⑮
```
  7.3 2 4
- 0.0 8
```

가로셈을 소수점에 맞추어 세로셈으로 고쳐서 계산하세요.

2.308 - 0.16

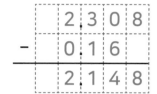

① 0.98 - 0.3

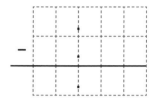

② 6.48 - 2.3

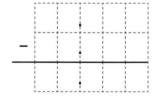

③ 9.05 - 2.6

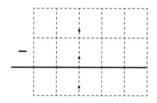

④ 24.9 - 8.47

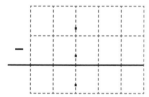

⑤ 8.641 - 6.42

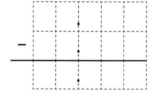

⑥ 3.04 - 2.146

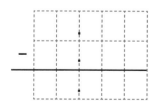

⑦ 3.15 - 3.104

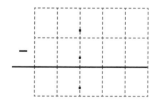

⑧ 8.1 - 7.463

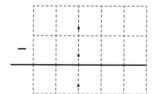

가로셈을 소수점에 맞추어 세로셈으로 고쳐서 계산하세요.

① 14 – 5.32

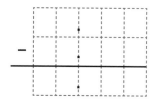

② 9.01 – 0.716

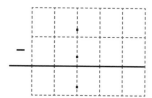

③ 30.2 – 24.58

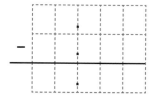

④ 1.164 – 0.73

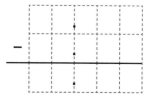

⑤ 67.4 – 0.03

⑥ 15.64 – 2.7

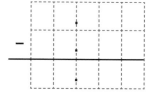

⑦ 8.8 – 3.06

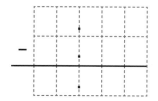

⑧ 5 – 3.47

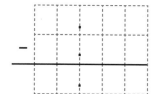

⑨ 6.104 – 3.58

가로셈을 세로셈으로 고쳐서 계산하세요.

① 8.48 – 5.7 =
  – 5.7

② 4.625 – 2.47 =

③ 13.37 – 0.5 =

④ 12.38 – 8.5 =

⑤ 5.6 – 2.096 =

⑥ 13.83 – 6.453 =

⑦ 7.7 – 0.548 =

⑧ 8.2 – 5.654 =

⑨ 7.6 – 4.95 =

⑩ 52.23 – 9.7 =

⑪ 24.43 – 8.5 =

⑫ 3.6 – 0.875 =

⑬ 7.42 – 3.708 =

⑭ 4.47 – 3.838 =

⑮ 25.4 – 6.62 =

두 수의 차를 구하세요.

① 0.49 3.2

② 5.7 2.839

③ 8.1 5.76

④ 1.51 4.616

⑤ 1.62 5.9

⑥ 3.992 7.63

⑦ 9.2 3.825

⑧ 18.2 5.908

⑨ 9.8 34.73

⑩ 4.4 0.482

⑪ 3.7 5.621

⑫ 6.2 2.625

빈 곳에 알맞은 수를 써넣으세요.

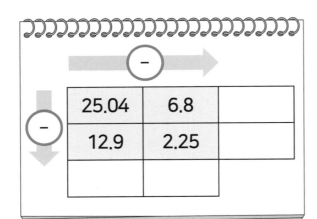

−		
25.04	6.8	
12.9	2.25	

−		
5.24	3.267	
1.9	0.96	

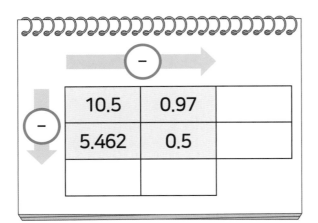

−		
10.5	0.97	
5.462	0.5	

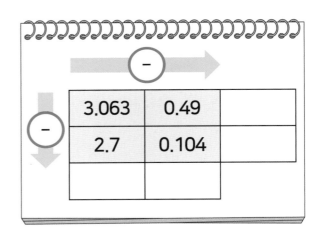

−		
3.063	0.49	
2.7	0.104	

계산이 잘못된 세로셈에 △표 하고, 빈 곳에 바르게 계산하세요.

```
  1 0.3 7        7.4           5.0 2
-    0.6      - 2.8 5        - 0.  8
─────────     ─────────     ─────────
    9.7 7        4.5 5         4.9 3
```

```
    3.8          1.8 2 4        0.3 2
-  1.1 7       -   0.5 7     - 0.0 0 7
─────────      ─────────     ─────────
    2.6 3          1.7 6 7       0.3 1 3
```

```
  1 2.2 9        6.1 2         6.3 6
-    7.8 9     - 5.3 6       - 2.0 8
─────────      ─────────     ─────────
      4.4          0.7 6         4.3 5 2
```

```
  6 0.7          0.7 5         4.7 2
-  5.1 6       - 0.2 0 9     - 1.9
─────────      ─────────     ─────────
    0.9 1          0.5 4 1       2.8 2
```

🔎 그림을 보고 물음에 알맞은 식을 세우고 답을 구하세요.

아버지, 어머니와 영수는 딸기 체험을 가서 딸기를 땄습니다. 아버지는 6.26 kg의 딸기를 땄는데 어머니는 아버지보다 2.7 kg 적게 땄고 영수는 아버지보다 4.194 kg 적게 땄습니다.

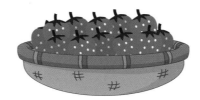

---

① 어머니가 딴 딸기의 무게는 몇 kg인가요?

식 : _____   답 : _____ kg

② 영수가 딴 딸기의 무게는 몇 kg인가요?

식 : _____   답 : _____ kg

③ 어머니는 영수보다 몇 kg의 딸기를 더 땄을까요?

식 : _____   답 : _____ kg

문제를 읽고 알맞은 식과 답을 써 보세요.

① 42.195 km의 마라톤을 뛰는데 현재 20.6 km 지점을 지나고 있습니다. 앞으로 몇 km를 더 뛰어야 결승선에 도달할까요?

식 : _____ 답 : _____ km

② 정서가 거리가 3.25 km인 산을 올라가고 있습니다. 2시간을 올라와서 이정표를 보니 정상까지 남은 거리가 455 m입니다. 정서가 2시간 동안 걸은 거리는 몇 km인가요?

식 : _____ 답 : _____ km

③ 수재가 현장 학습에 가져가기 위해서 1.5 L짜리 음료수를 사서 430 mL짜리 물통에 옮겨 담고 남은 음료수는 오빠와 나누어 마셨습니다. 수재가 오빠와 나누어 마신 음료수는 몇 L일까요?

식 : _____ 답 : _____ L

④ 호준이가 물의 증발을 실험하기 위해서 눈금이 표시된 컵에 물 0.8 L를 담고 바람이 잘 통하는 곳에 두었습니다. 일주일 후 컵에 남은 물이 347 mL였다면 일주일 동안 증발된 물은 몇 L인가요?

식 : _____ 답 : _____ L

문제를 읽고 알맞은 식과 답을 써 보세요.

① 정인이가 화단에 말뚝을 박았습니다. 1.2 m길이의 말뚝을 박고 땅 위로 나온 부분의 높이를 재었더니 87 cm였다면 땅 밑으로 박힌 말뚝의 길이는 몇 m일까요?

식 : _____ 답 : _____ m

② 우유 1.25 L에 바나나 몇 개를 갈아서 바나나 우유를 만들어서 부피를 재니 1874 mL입니다. 우유에 넣은 바나나의 부피는 몇 L인가요?

식 : _____ 답 : _____ L

③ 우사인 볼트는 고등학생 때 200 m 달리기에서 22.04초를 기록하였고, 2008년 올림픽에서는 19.3초로 세계 신기록을 세웠습니다. 2008년에 세운 세계 신기록은 고등학교 때의 기록보다 몇 초를 줄인 것일까요?

식 : _____ 답 : _____ 초

④ 소정이가 강낭콩을 키우는데 지난주에 강낭콩 싹의 길이가 12.57 cm였는데 이번 주에 재었더니 14.8 cm였습니다. 강낭콩은 일주일 동안 몇 cm를 자랐을까요?

식 : _____ 답 : _____ cm

• **6**주차 •

도전! 계산왕

자릿수가 다른 소수의 덧셈과 뺄셈

계산을 하세요.

①
$$\begin{array}{r} 9.75 \\ + 5.8 \\ \hline \end{array}$$

②
$$\begin{array}{r} 6.3 \\ + 6.53 \\ \hline \end{array}$$

③
$$\begin{array}{r} 8.16 \\ + 6.4 \\ \hline \end{array}$$

④
$$\begin{array}{r} 9.936 \\ - 1.19 \\ \hline \end{array}$$

⑤
$$\begin{array}{r} 5.1 \\ - 4.41 \\ \hline \end{array}$$

⑥
$$\begin{array}{r} 4.2 \\ - 2.11 \\ \hline \end{array}$$

⑦ $4.3 + 3.09 =$

⑧ $9.785 + 1.36 =$

⑨ $0.111 + 1.3 =$

⑩ $7.152 + 3.66 =$

⑪ $1.2 - 1.01 =$

⑫ $1.11 - 0.236 =$

⑬ $9.471 - 2.3 =$

⑭ $7.74 - 0.736 =$

⑮ $7.8 - 3.886 =$

1일 ❷ 자릿수가 다른 소수의 덧셈과 뺄셈

계산을 하세요.

①
```
    3. 9 5
+ 0. 9 5 3
```

②
```
    5. 6 9
+ 1. 7 8 4
```

③
```
    2. 2 9
+ 1. 1
```

④
```
    9. 8
- 7. 5 7 7
```

⑤
```
    2. 8 4
- 0. 3
```

⑥
```
    9. 6 5
- 8. 7 7 2
```

⑦ 8.904 + 1.78 =

⑧ 9.814 + 4.1 =

⑨ 8.416 + 5.23 =

⑩ 4.6 + 7.97 =

⑪ 8.43 - 8.4 =

⑫ 4.9 - 3.45 =

⑬ 8.014 - 7.7 =

⑭ 4.94 - 2.646 =

⑮ 7.27 - 2.356 =

자릿수가 다른 소수의 덧셈과 뺄셈

✏️ 계산을 하세요.

①
```
    1.6 6
+   9.3
```

②
```
    6.5 6
+   5.6 3 5
```

③
```
    3.5 6
+   5.1 5 9
```

④
```
    8.4
-   6.0 4
```

⑤
```
    8.1 5
-   5.7
```

⑥
```
    5.3
-   0.7 6
```

⑦ 3.141 + 7.67 =

⑧ 7.4 + 0.638 =

⑨ 3.398 + 3.8 =

⑩ 1.86 + 3.5 =

⑪ 5.564 - 1.62 =

⑫ 6.078 - 0.1 =

⑬ 8.28 - 2.544 =

⑭ 5.528 - 1.1 =

⑮ 7.858 - 0.8 =

2일 ❷ 자릿수가 다른 소수의 덧셈과 뺄셈

계산을 하세요.

①
```
   0. 2 1 6
+  1. 6
```

②
```
   1. 2
+  4.0 5
```

③
```
   0.9 2 3
+  1.7 6
```

④
```
   2. 6
-  1. 4 9 8
```

⑤
```
   9. 7 5 8
-  1. 2
```

⑥
```
   6.6 9
-  6.0 3 9
```

⑦ 9.32 + 8.9 =

⑧ 6.9 + 2.705 =

⑨ 3.395 + 0.9 =

⑩ 3.111 + 9.01 =

⑪ 4.35 – 2.7 =

⑫ 1.425 – 0.2 =

⑬ 9.42 – 2.3 =

⑭ 9.522 – 5.8 =

⑮ 7.1 – 1.51 =

3일 ❶ 자릿수가 다른 소수의 덧셈과 뺄셈

계산을 하세요.

①
```
    6.0 9
 +  4.7
```

②
```
   5.9 6
 + 2.0 6 7
```

③
```
   4.7 9 2
 + 5.9
```

④
```
   8.8 2 4
 - 6.1 4
```

⑤
```
   3.1
 - 2.5 4
```

⑥
```
   4.1
 - 1.6 9
```

⑦ 7.79 + 1.8 =

⑧ 7.17 + 6.046 =

⑨ 5.2 + 3.829 =

⑩ 6.56 + 2.929 =

⑪ 8.06 - 0.621 =

⑫ 6.97 - 5.4 =

⑬ 2.2 - 0.64 =

⑭ 7.242 - 6.26 =

⑮ 5.5 - 4.822 =

자릿수가 다른 소수의 덧셈과 뺄셈

공부한 날 | 월 일
점수 | / 15

📝 계산을 하세요.

①
```
    9. 8 8 7
  + 9. 4 6
```

②
```
    9. 9
  + 7. 7 6 5
```

③
```
    0. 3 8 5
  + 6. 7 1
```

④
```
    5. 1
  - 3. 1 6 3
```

⑤
```
    5. 9
  - 5. 3 7
```

⑥
```
    6. 7 5
  - 3. 0 4 1
```

⑦ 6.828 + 1.8 =

⑧ 1.9 + 4.384 =

⑨ 2.5 + 9.56 =

⑩ 7.399 + 1.79 =

⑪ 0.76 - 0.516 =

⑫ 7.045 - 2.42 =

⑬ 8.593 - 4.7 =

⑭ 3.26 - 2.595 =

⑮ 5.42 - 4.5 =

자릿수가 다른 소수의 덧셈과 뺄셈

공부한 날 월 일
점수 / 15

🎵 계산을 하세요.

①
```
    1. 1 2 4
  + 9. 3 4
```

②
```
    9. 6 3 2
  + 8. 3
```

③
```
    4. 5 5
  + 4. 8 4 9
```

④
```
    8. 6
  - 2. 7 3
```

⑤
```
    7. 5 4 1
  - 2. 8
```

⑥
```
    8. 9 3
  - 2. 6
```

⑦ 8.1 + 7.39 =

⑧ 1.6 + 3.148 =

⑨ 2.67 + 3.9 =

⑩ 2.59 + 9.926 =

⑪ 8.19 - 6.175 =

⑫ 8.29 - 3.3 =

⑬ 8.4 - 2.517 =

⑭ 3.95 - 1.6 =

⑮ 2.34 - 0.3 =

4일 ❷ 자릿수가 다른 소수의 덧셈과 뺄셈

🎵 계산을 하세요.

①
```
    6. 3 2 5
  + 7. 4
```

②
```
    7. 5 3
  + 7. 5 3 9
```

③
```
    3. 1 9 6
  + 0. 2
```

④
```
    8. 9 3 6
  - 8. 9 2
```

⑤
```
    4. 8 8 5
  - 1. 3
```

⑥
```
    6. 8 8
  - 5. 9 2 5
```

⑦ 4.946 + 8.86 =

⑧ 7.023 + 5.1 =

⑨ 5.71 + 7.9 =

⑩ 6.7 + 1.314 =

⑪ 9.2 - 2.948 =

⑫ 9.6 - 8.801 =

⑬ 2.625 - 1.48 =

⑭ 6.8 - 3.998 =

⑮ 5.16 - 3.254 =

자릿수가 다른 소수의 덧셈과 뺄셈

💡 계산을 하세요.

①
```
    3 . 3
+  6 . 2 7
```

②
```
   7 . 2 2
+ 0 . 0 8 6
```

③
```
   0 . 4 2
+  1 . 3
```

④
```
   6 . 5 8 4
-    4 . 6
```

⑤
```
   4 . 6 9
- 2 . 4 8 5
```

⑥
```
   9 . 3 6
-   3 . 9
```

⑦ 8.7 + 1.22 =

⑧ 6.8 + 9.66 =

⑨ 3.255 + 7.1 =

⑩ 9.06 + 4.3 =

⑪ 9.4 − 3.786 =

⑫ 5.672 − 0.7 =

⑬ 9.06 − 3.897 =

⑭ 8.4 − 6.852 =

⑮ 9.3 − 8.11 =

자릿수가 다른 소수의 덧셈과 뺄셈

계산을 하세요.

①
$$\begin{array}{r} 1.815 \\ + 1.61 \\ \hline \end{array}$$

②
$$\begin{array}{r} 8.59 \\ + 0.883 \\ \hline \end{array}$$

③
$$\begin{array}{r} 1.938 \\ + 4.2 \\ \hline \end{array}$$

④
$$\begin{array}{r} 6.57 \\ - 5.642 \\ \hline \end{array}$$

⑤
$$\begin{array}{r} 5.49 \\ - 3.4 \\ \hline \end{array}$$

⑥
$$\begin{array}{r} 9.4 \\ - 1.769 \\ \hline \end{array}$$

⑦ $7.5 + 3.71 =$

⑧ $3.42 + 7.308 =$

⑨ $0.1 + 0.09 =$

⑩ $6.7 + 1.314 =$

⑪ $9.2 - 2.948 =$

⑫ $7.72 - 4.3 =$

⑬ $2.625 - 1.48 =$

⑭ $6.8 - 3.998 =$

⑮ $8.94 - 8.775 =$

총괄 테스트

01 분수는 소수로, 소수는 분수로 바꾸어 보세요.

① $\frac{125}{100}=$

② $\frac{375}{1000}=$

③ $0.21=$

④ $3.453=$

02 ☐ 안에 알맞은 수를 써넣으세요.

① ☐ × 100 = 15.8

② 4.57 × ☐ = 45.7

③ 0.934 × 1000 = ☐

④ ☐ × 100 = 266

03 세로셈으로 계산하세요.

06 세로셈으로 계산하세요.

①　　4.5
　　+ 2.3 4
　　─────

②　2 2.7 3
　　+　 4.9
　　─────

③　　8.2
　　+ 6.3 4
　　─────

07 계산을 하세요.

① 1.36 + 2.514 =

② 1.82 + 3.4 =

③ 11.4 + 3.54 =

④ 9.465 + 0.75 =

08 세로셈으로 계산하세요.

①
$$2.54 - 1.76$$

②
$$12.7 + 9.8$$

③
$$4.51 - 2.78$$

⑤
$$8.7 - 1.95$$

⑥
$$17.65 - 5.4$$

⑦
$$3.4 - 1.261$$

04 계산을 하세요.

① 1.6 + 2.5 =

② 0.84 + 2.74 =

③ 9.45 − 2.34 =

④ 8.522 − 0.547 =

05 ○에는 두 소수의 합을, □에는 두 소수의 차를 써넣으세요.

1.42	11.5	0.9
3.27	21.4	11.4

09 계산을 하세요.

① 2.44 − 1.223 =

② 7.8 − 3.455 =

③ 32.5 − 2.71 =

④ 1.225 − 0.34 =

10 가람이는 3.245 km, 나영이는 2.71 km를 걸었습니다. 가람이는 나영이보다 몇 km를 더 걸었나요?

식 :

답 : _____ km

우리 아이 첫 수학은
유자수 가 답이다

보드마카와
붙임 딱지로
즐겁게

내 아이에게
딱 맞는
엄마표 문제

재미있게
스스로
반복학습

방송에서 화제가 된 바로 그 교재!

생각과 자신감이 커지는 유아 자신감 수학!

방송 영상

유자수 소개 영상

실력도 탑! 재미도 탑!
사고력 수학의 으뜸!
TOP 사고력 수학

6~7세   7~8세   초1~2학년   초2~3학년

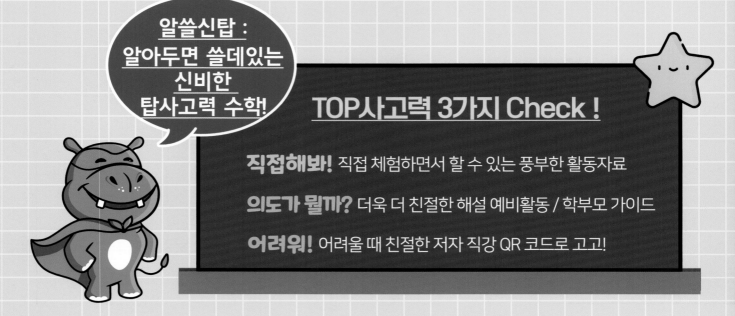

알쓸신탑 :
알아두면 쓸데있는
신비한
탑사고력 수학!

TOP사고력 3가지 Check !

직접해봐! 직접 체험하면서 할 수 있는 풍부한 활동자료

의도가 뭘까? 더욱 더 친절한 해설 예비활동 / 학부모 가이드

어려워! 어려울 때 친절한 저자 직강 QR 코드로 고고!

초등 | 수학 전문가가 만든 **연산 교재**

원리셈

천종현 지음

정답

4학년 4

소수의 덧셈과 뺄셈

천종현수학연구소

10쪽

① 5.7　　② 3.4
③ 5.42　　④ 8.19
⑤ 7.05　　⑥ 4.26
⑦ 4.986　　⑧ 1.042
⑨ 6.334　　⑩ 9.698
⑪ 0.041　　⑫ 0.008

11쪽

　　　　　① 0.003
② 0.7　　③ 0.003
④ 0.004　　⑤ 0.04

5.42	9.008	8.237	1.391
12.007	0.51	5.889	1.45
6.720	20.539	0.872	4.542

(circled: 5.42, 0.51, 0.872)

12쪽

　　　　　① 0.1　　② 0.408
③ 0.025　　④ 1.09　　⑤ 3.501
⑥ 34.2　　⑦ 17.03　　⑧ 0.007
　　　　　⑨ $\frac{507}{100}$　　⑩ $\frac{1395}{1000}$
⑪ $\frac{498}{100}$　　⑫ $\frac{1234}{100}$　　⑬ $\frac{561}{1000}$
⑭ $\frac{409}{100}$　　⑮ $\frac{3501}{1000}$　　⑯ $\frac{605}{1000}$

13쪽

① 0.302　　② 0.501
③ 0.402　　④ 0.625
⑤ 0.063　　⑥ 0.316
⑦ 0.25　　⑧ 0.028
⑨ 0.012　　⑩ 0.059

14쪽

① 5.7　　② 0.86
③ 84.43　　④ 40.3
⑤ 844.3　　⑥ 405.6
⑦ 276　　⑧ 107
⑨ 47.1　　⑩ 250
⑪ 562　　⑫ 6470

15쪽

① 2680　　② 0.027
③ 1.4　　④ 5800
⑤ 20.42　　⑥ 0.034
⑦ 0.046　　⑧ 0.04
⑨ 105　　⑩ 0.156
⑪ 9670　　⑫ 56.72
⑬ 4.167　　⑭ 0.072

16쪽

① 4　　② 1
③ 6　　④ 2
⑤ 1　　⑥ 3
⑦ 4　　⑧ 6
⑨ 2　　⑩ 5
⑪ 3　　⑫ 1

17쪽

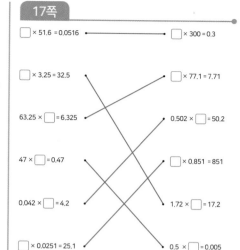

18쪽

① 0.418　　② 0.387
③ 0.159　　④ 0.034
⑤ 0.114　　⑥ 0.573
⑦ 1.34　　⑧ 0.597
⑨ 0.745　　⑩ 0.625
⑪ 0.038　　⑫ 0.019
⑬ 0.743　　⑭ 0.193

19쪽

① 2400　　② 130　　③ 0.72
④ 863　　⑤ 42　　⑥ 5000
⑦ 556　　⑧ 430　　⑨ 93.2
⑩ 600, 6000　　⑪ 51, 5100
⑫ 359, 3590　　⑬ 34, 0.034
⑭ 450, 4.5　　⑮ 78.4, 0.784

① 0.356　② 2.3　③ 0.058

④ 1.278　⑤ 4.059　⑥ 3020

⑦ 20　⑧ 4208　⑨ 86

⑩ 1.5　⑪ 0.25　⑫ 3.26

⑬ 0.682　⑭ 1.09　⑮ 2500

⑯ 40　⑰ 1620　⑱ 10500

21쪽

① 54.7　② 127
　 0.547　　 0.127

③ 58.2　④ 0.937
　 582　　　 937

⑤ 0.567　⑥ 3870　⑦ 0.012

⑧ 1500　⑨ 3.98　⑩ 1430

22쪽

① $216 \times \dfrac{1}{10} = 21.6,\ 21.6$

② $1.5 \times \dfrac{1}{100} = 0.015,\ 0.015$

③ $1.4 \times \dfrac{1}{10} = 0.14,\ 0.14$

④ $1.2 \times \dfrac{1}{10} = 0.12,\ 0.12$

⑤ $985 \times \dfrac{1}{100} = 9.85,\ 9.85$

⑥ $0.83 \times \dfrac{1}{10} = 0.083,\ 0.083$

23쪽

① 1시간 40분 = 100분
　 0.123×10 = 1.23, 1.23

② 12.7×100 = 1270, 1270

③ 4.648×100 = 464.8, 464.8

④ 0.245×10 = 2.45, 2.45

⑤ 83.69×10 = 836.9, 836.9

⑥ $125.75 \times \dfrac{1}{100} = 1.2575,\ 1.2575$

24쪽

① 26

② 0.654

③ 1.17

④ 1.14

⑤ 1060

⑥ 452

2주차 - 자릿수가 같은 소수의 덧셈과 뺄셈

26쪽

> 21
> 2.1
>
> 36
> 0.36

① 1.1　② 1.8　③ 1.1

④ 3.4　⑤ 3.3　⑥ 4

⑦ 2.4　⑧ 4.3　⑨ 4.5

⑩ 0.15　⑪ 0.31　⑫ 0.44

⑬ 3.32　⑭ 0.31　⑮ 1.56

27쪽

① 0, 9, 6　② 1, 4, 2　③ 1, 6, 2

④ 4, 0, 1　⑤ 7, 8, 4　⑥ 6, 9, 1

28쪽

① 0.83　② 0.82　③ 1.22

④ 1.3　⑤ 1.41　⑥ 1.15

⑦ 4.22　⑧ 9.16　⑨ 7.53

⑩ 81.3　⑪ 36.1　⑫ 62.1

⑬ 60.5　⑭ 5.03　⑮ 43.2

29쪽

0.4 + 0.7 = ~~0.11~~　0.8 + 0.5 = 1.3　0.4 + 0.6 = 1
　　　 1.1

0.62 + 0.59 = ~~12.1~~　0.73 + 0.17 = 0.9　0.34 + 0.88 = 1.22
　　　 1.21

5.28 + 2.07 = 7.35　2.35 + 1.76 = 4.11　2.64 + 0.67 = ~~2.31~~
　　　　　　　　　　　　　　　　　　　　　　　 3.31

3.82 + 1.65 = ~~5.37~~　1.08 + 1.89 = 2.97　5.46 + 2.76 = 8.22
　　　 5.47

5.72 + 7.17 = 12.89　0.04 + 0.27 = ~~0.61~~　1.35 + 2.05 = 3.4
　　　　　　　　　　　　　　　0.31

7.2 + 12.7 = 19.9　25.4 + 1.6 = ~~41.4~~　27.8 + 6.9 = 34.7
　　　　　　　　　　　　　 27

30쪽

① 1.25　② 0.82　③ 0.99

④ 10.93　⑤ 11.9　⑥ 14.3

⑦ 124.1　⑧ 47.2　⑨ 37.2

⑩ 22.4　⑪ 51.1　⑫ 35.75

⑬ 53.7　⑭ 94.9　⑮ 71

① 0.493 ② 6.825 ③ 5.59
④ 7.48 ⑤ 6.49 ⑥ 1.18
⑦ 12.337 ⑧ 7 ⑨ 7.5
⑩ 4.2 ⑪ 2.8 ⑫ 3.4
⑬ 0 ⑭ 3.457 ⑮ 6.51

① 9.876 ② 3.72 ③ 17.596
④ 3.178 ⑤ 2.3 ⑥ 6.163
⑦ 8.6 ⑧ 3.559 ⑨ 4.698
⑩ 8.85 ⑪ 1.22 ⑫ 1.026
⑬ 1.024 ⑭ 2.3 ⑮ 1.13

① 6.01 ② 16.14 ③ 15.073
④ 2.132 ⑤ 3.9 ⑥ 1.651
⑦ 15.24 ⑧ 11 ⑨ 7.6
⑩ 18.08 ⑪ 2.17 ⑫ 2.745
⑬ 3 ⑭ 1.464 ⑮ 3.079

① 5.4 ② 14.32 ③ 3.12
④ 4.1 ⑤ 1.8 ⑥ 3.12
⑦ 2.478 ⑧ 4.2 ⑨ 7.5
⑩ 6.9 ⑪ 6.02 ⑫ 2.104
⑬ 3.5 ⑭ 0.06 ⑮ 3.456

① 7.52 ② 5.9 ③ 2.7
④ 4.768 ⑤ 6.987 ⑥ 4.6
⑦ 9.8 ⑧ 15.238 ⑨ 7.4
⑩ 6.448 ⑪ 2.9 ⑫ 3.93
⑬ 0.2 ⑭ 3.47 ⑮ 6.03

① 16.19 ② 15.469 ③ 5.2
④ 7.17 ⑤ 9.097 ⑥ 1.3
⑦ 7.4 ⑧ 7.9 ⑨ 1.5
⑩ 4.874 ⑪ 1.55 ⑫ 0.657
⑬ 2.82 ⑭ 0.7 ⑮ 1.7

① 4.78 ② 12.689 ③ 5.767
④ 0.917 ⑤ 3.6 ⑥ 2
⑦ 13.8 ⑧ 16.5 ⑨ 7.2
⑩ 17.7 ⑪ 5.63 ⑫ 5.347
⑬ 4.2 ⑭ 0.72 ⑮ 2.7

4주차 - 자릿수가 다른 소수의 덧셈

①
	407	34
	407	340
7.47	747	

②
	17	135
	1700	135
1.835	1835	

③
	126	564
	1260	564
18.24	1824	

①
	97	16
	97	160
2.57	257	

②
	307	5
	307	500
0.807	807	

③
	107	263
	1070	263
13.33	1333	

④
	59	1235
	590	1235
18.25	1825	

① 1.13 ② 1.65 ③ 0.98
④ 1.15 ⑤ 2.01 ⑥ 10.83
⑦ 8.03 ⑧ 3.05 ⑨ 9.34
⑩ 0.142 ⑪ 0.154 ⑫ 0.307
⑬ 0.105 ⑭ 0.573 ⑮ 0.124

① 1, 1, 4, 7 ② 1, 2, 3, 5 ③ 1, 5, 5, 5
④ 3, 3, 1, 6 ⑤ 6, 1, 1, 8 ⑥ 2, 2, 5, 5

① 253.2 ② 46.35 ③ 8.146
④ 321.3 ⑤ 31.84 ⑥ 41.21
⑦ 324.1 ⑧ 6.094 ⑨ 32.22
⑩ 6.425 ⑪ 7.373 ⑫ 4.854
⑬ 3.604 ⑭ 5.992 ⑮ 6.344

① 4.924 ② 32.28 ③ 3.339
④ 23.44 ⑤ 14.02 ⑥ 33.47
⑦ 34.22 ⑧ 6.573 ⑨ 8.237
⑩ 31.29 ⑪ 10.118 ⑫ 59.47
⑬ 8.401 ⑭ 22.22 ⑮ 14.216

①
```
    0.9
+   3.38
    4.28
```
②
```
    9.7
+   0.55
   10.25
```
③
```
    1.61
+  59.3
   60.91
```
④
```
    2.07
+   2.38
    2.587
```
⑤
```
    1.79
+   5.27
    23.17
```
⑥
```
    9.3
+   0.998
   10.298
```
⑦
```
    1.73
+   3.498
    5.228
```
⑧
```
   15.062
+   8.74
   23.802
```

①
```
   2.089
+  0.3
   2.119
```
②
```
   0.008
+  0.4
   0.408
```
③
```
   7.34
+  1.028
   8.368
```
④
```
   15.3
+   4.72
   20.02
```
⑤
```
   6.28
+  0.168
   6.448
```
⑥
```
   41.8
+   7.82
   49.62
```
⑦
```
   5.58
+  0.079
   5.659
```
⑧
```
   0.893
+  0.39
   1.283
```
⑨
```
   5.746
+  0.93
   6.676
```

① 22.38 ② 8.332 ③ 7.666
④ 8.09 ⑤ 11.962 ⑥ 14.132
⑦ 11.18 ⑧ 8.916 ⑨ 13.02
⑩ 57.21 ⑪ 10.53 ⑫ 14.262
⑬ 13.38 ⑭ 37.459 ⑮ 37.183

① 18.08 ② 14.17 ③ 6.295
④ 14.18 ⑤ 20.182 ⑥ 11.396
⑦ 7.148 ⑧ 16.35 ⑨ 7.857
⑩ 60.93 ⑪ 5.468 ⑫ 31.33

+		
1.2	0.06	1.26
3.25	5.1	8.35
4.45	5.16	

+		
0.007	1.29	1.297
3.24	4.1	7.34
3.247	5.39	

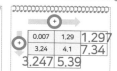

+		
2.64	6.7	9.34
0.597	1.48	2.077
3.237	8.18	

+		
1.24	0.589	1.829
1.405	23.8	25.205
2.645	24.389	

```
  0.54          4.2         2.09        0.54
+ 0.5         + 0.55      + 8.9       + 0.5
  0.59          4.75       10.99        1.04
```
```
  3.4           2.57        0.94        2.57
+ 1.75        + 0.5       + 0.79      + 0.5
  5.15          2.62        1.73        3.07
```
```
  0.08         10.12        3.05        3.05
+ 0.07        + 0.7       + 2.08      + 2.08
  0.15         10.82        5.013        5.13
```
```
  0.84          1.54        6.04        0.84
+ 0.58        + 1.54      + 0.09      + 0.58
  0.142         3.08        6.13         1.42
```

① 0.234 + 0.16 = 0.394, 0.394
② 1.1 + 0.54 = 1.64, 1.64
③ 0.8 + 0.54 = 1.34, 1.34

① 7.7 + 5.42 = 13.12, 13.12
② 8.256 + 2.9 = 11.156, 11.156
③ 16.547 + 0.86 = 17.407, 17.407
④ 1.4 + 0.15 = 1.55, 1.55

① 2.8 + 0.36 = 3.16, 3.16
② 0.96 + 0.463 = 1.423, 1.423
③ 1.8 + 0.35 = 2.15, 2.15
④ 1.4 + 0.872 = 2.272, 2.272

5주차 - 자릿수가 다른 소수의 뺄셈

①
	564	17
	564	170
3.94	394	

②
	38	306
	3800	306
3.494	3494	

③
	50	347
	500	347
1.53	153	

①   307   19
          307   190
   1.17   117

②   462   38
          462   380
   0.82   82

③   61   1416
      6100   1416
  4.684   4684

④   25   169
       250   169
   0.81   81

① 0.07   ② 4.43   ③ 0.59

④ 11.56   ⑤ 1.78   ⑥ 30.34

⑦ 0.022   ⑧ 0.248   ⑨ 5.73

⑩ 0.139   ⑪ 1.06   ⑫ 0.182

⑬ 5.739   ⑭ 0.35   ⑮ 2.57

① 2, 7, 7   ② 3, 4, 4   ③ 3, 1, 1

④ 1, 8, 5, 4   ⑤ 1, 2, 9, 2   ⑥ 2, 6, 6, 2

① 26.88   ② 4.364   ③ 9.25

④ 14.47   ⑤ 17.77   ⑥ 9.48

⑦ 18.51   ⑧ 44.56   ⑨ 3.046

⑩ 2.653   ⑪ 2.093   ⑫ 2.48

⑬ 4.874   ⑭ 1.208   ⑮ 0.708

① 0.545   ② 26.35   ③ 0.654

④ 2.527   ⑤ 15.46   ⑥ 16.61

⑦ 3.062   ⑧ 5.235   ⑨ 13.28

⑩ 2.764   ⑪ 3.562   ⑫ 2.226

⑬ 2.234   ⑭ 2.341   ⑮ 7.244

①
```
  0.98
- 0.3
  0.68
```
②
```
  6.48
- 2.3
  4.18
```
③
```
  9.05
- 2.6
  6.45
```
④
```
  24.9
- 8.47
  16.43
```
⑤
```
  8.641
- 6.42
  2.221
```
⑥
```
  3.04
- 2.146
  0.894
```
⑦
```
  3.15
- 3.104
  0.046
```
⑧
```
  8.1
- 7.463
  0.637
```

①
```
  14.
- 5.32
  8.68
```
②
```
  9.01
- 0.716
  8.294
```
③
```
  30.2
- 24.58
  5.62
```
④
```
  1.164
- 0.73
  0.434
```
⑤
```
  67.4
- 0.03
  67.37
```
⑥
```
  15.64
- 2.7
  12.94
```
⑦
```
  8.8
- 3.06
  5.74
```
⑧
```
  5.
- 3.47
  1.53
```
⑨
```
  6.104
- 3.58
  2.524
```

① 2.78   ② 2.155   ③ 12.87

④ 3.88   ⑤ 3.504   ⑥ 7.377

⑦ 7.152   ⑧ 2.546   ⑨ 2.65

⑩ 42.53   ⑪ 15.93   ⑫ 2.725

⑬ 3.712   ⑭ 0.632   ⑮ 18.78

① 2.71   ② 2.861   ③ 2.34

④ 3.106   ⑤ 4.28   ⑥ 3.638

⑦ 5.375   ⑧ 12.292   ⑨ 24.93

⑩ 3.918   ⑪ 1.921   ⑫ 3.575

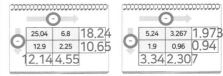

	−	
25.04	6.8	18.24
12.9	2.25	10.65
12.14	4.55	

	−	
5.24	3.267	1.973
1.9	0.96	0.94
3.34	2.307	

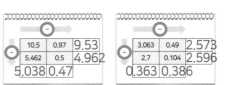

	−	
10.5	0.97	9.53
5.462	0.5	4.962
5.038	0.47	

	−	
3.063	0.49	2.573
2.7	0.104	2.596
0.363	0.386	

81쪽

1 0.3 7 − 0.6 9.7 7	7.4 − 2.8 5 4.5 5	△ 5.0 2 0. 8 4.9 3	5.0 2 − 0.8 4.2 2
3.8 − 1.1 7 2.6 3	1.8 2 4 − 0.5 7 1.7 6	0.3 2 − 0.0 0 7 0.3 1 3	1.8 2 4 − 0.5 7 1.2 5 4
1 2.2 9 − 7.8 9 4.4	6.1 2 − 5.3 6 0.7 6	6.3 6 − 2.0 8 4.3 5 2	6.3 6 − 2.0 8 4.2 8
6 0.7 − 5.1 6 0.9 1	0.7 5 − 0.2 0 9 0.5 4 1	4.7 2 − 1.9 2.8 2	6 0.7 − 5.1 6 5 5.5 4

82쪽

① 6.26-2.7=3.56, 3.56
② 6.26-4.194=2.066, 2.066
③ 3.56-2.066=1.494, 1.494

83쪽

① 42.195-20.6=21.595, 21.595
② 3.25-0.455=2.795, 2.795
③ 1.5-0.43=1.07, 1.07
④ 0.8-0.347=0.453, 0.453

84쪽

① 1.2-0.87=0.33, 0.33
② 1.874-1.25=0.624, 0.624
③ 22.04-19.3=2.74, 2.74
④ 14.8-12.57=2.23, 2.23

86쪽

① 15.55 ② 12.83 ③ 14.56
④ 8.746 ⑤ 0.69 ⑥ 2.09
⑦ 7.39 ⑧ 11.145 ⑨ 1.411
⑩ 10.812 ⑪ 0.19 ⑫ 0.874
⑬ 7.171 ⑭ 7.004 ⑮ 3.914

87쪽

① 4.903 ② 7.474 ③ 3.39
④ 2.223 ⑤ 2.54 ⑥ 0.878
⑦ 10.684 ⑧ 13.914 ⑨ 13.646
⑩ 12.57 ⑪ 0.03 ⑫ 1.45
⑬ 0.314 ⑭ 2.294 ⑮ 4.914

88쪽

① 10.96 ② 12.195 ③ 8.719
④ 2.36 ⑤ 2.45 ⑥ 4.54
⑦ 10.811 ⑧ 8.038 ⑨ 7.198
⑩ 5.36 ⑪ 3.944 ⑫ 5.978
⑬ 5.736 ⑭ 4.428 ⑮ 7.058

89쪽

① 1.816 ② 5.25 ③ 2.683
④ 1.102 ⑤ 8.558 ⑥ 0.651
⑦ 18.22 ⑧ 9.605 ⑨ 4.295
⑩ 12.121 ⑪ 1.65 ⑫ 1.225
⑬ 7.12 ⑭ 3.722 ⑮ 5.59

90쪽

① 10.79 ② 8.027 ③ 10.692
④ 2.684 ⑤ 0.56 ⑥ 2.41
⑦ 9.59 ⑧ 13.216 ⑨ 9.029
⑩ 9.489 ⑪ 7.439 ⑫ 1.57
⑬ 1.56 ⑭ 0.982 ⑮ 0.678

91쪽

① 19.347 ② 17.665 ③ 7.095
④ 1.937 ⑤ 0.53 ⑥ 3.709
⑦ 8.628 ⑧ 6.284 ⑨ 12.06
⑩ 9.189 ⑪ 0.244 ⑫ 4.625
⑬ 3.893 ⑭ 0.665 ⑮ 0.92

① 10.464 ② 17.932 ③ 9.399
④ 5.87 ⑤ 4.741 ⑥ 6.33
⑦ 15.49 ⑧ 4.748 ⑨ 6.57
⑩ 12.516 ⑪ 2.015 ⑫ 4.99
⑬ 5.883 ⑭ 2.35 ⑮ 2.04

① 13.725 ② 15.069 ③ 3.396
④ 0.016 ⑤ 3.585 ⑥ 0.955
⑦ 13.806 ⑧ 12.123 ⑨ 13.61
⑩ 8.014 ⑪ 6.252 ⑫ 0.799
⑬ 1.145 ⑭ 2.802 ⑮ 1.906

① 9.57 ② 7.306 ③ 1.72
④ 1.984 ⑤ 2.205 ⑥ 5.46
⑦ 9.92 ⑧ 16.46 ⑨ 10.355
⑩ 13.36 ⑪ 5.614 ⑫ 4.972
⑬ 5.163 ⑭ 1.548 ⑮ 1.19

① 3.425 ② 9.473 ③ 6.138
④ 0.928 ⑤ 2.09 ⑥ 7.631
⑦ 11.21 ⑧ 10.728 ⑨ 0.19
⑩ 8.014 ⑪ 6.252 ⑫ 3.42
⑬ 1.145 ⑭ 2.802 ⑮ 0.165

총괄 테스트

이름　**점수**

4권 소수의 덧셈과 뺄셈

01 분수는 소수로, 소수는 분수로 바꾸어 보세요.

① $\dfrac{125}{100} = 1.25$
② $\dfrac{375}{1000} = 0.375$
③ $0.21 = \dfrac{21}{100}$
④ $3.453 = \dfrac{3453}{1000}$

06 세로셈으로 계산하세요.

① $\begin{array}{r} 4.5 \\ +\ 2.3\ 4 \\ \hline 6.84 \end{array}$
② $\begin{array}{r} 2\ 2.7\ 3 \\ +\ \ \ 4.9 \\ \hline 27.63 \end{array}$
③ $\begin{array}{r} 8.2 \\ +\ 6.3\ 4 \\ \hline 14.54 \end{array}$

02 □ 안에 알맞은 수를 써넣으세요.

① $0.158 \times 100 = 15.8$
② $4.57 \times 10 = 45.7$
③ $0.934 \times 1000 = 934$
④ $2.66 \times 100 = 266$

07 계산을 하세요.

① $1.36 + 2.514 = 3.874$
② $1.82 + 3.4 = 5.22$
③ $11.4 + 3.54 = 14.94$
④ $9.465 + 0.75 = 10.215$

03 세로셈으로 계산하세요.

① $\begin{array}{r} 2.5\ 4 \\ -\ 1.7\ 6 \\ \hline 0.78 \end{array}$
② $\begin{array}{r} 1\ 2.7 \\ +\ \ 9.8 \\ \hline 22.5 \end{array}$
③ $\begin{array}{r} 4.5\ 1 \\ -\ 2.7\ 8 \\ \hline 1.73 \end{array}$

08 세로셈으로 계산하세요.

① $\begin{array}{r} 8.7 \\ -\ 1.9\ 5 \\ \hline 6.75 \end{array}$
② $\begin{array}{r} 1\ 7.6\ 5 \\ -\ \ \ 5.4 \\ \hline 12.25 \end{array}$
③ $\begin{array}{r} 3.4 \\ -\ 1.2\ 6\ 1 \\ \hline 2.139 \end{array}$

04 계산을 하세요.

① $1.6 + 2.5 = 4.1$
② $0.84 + 2.74 = 3.58$
③ $9.45 - 2.34 = 7.11$
④ $8.522 - 0.547 = 7.975$

09 계산을 하세요.

① $2.44 - 1.223 = 1.217$
② $7.8 - 3.455 = 4.345$
③ $32.5 - 2.71 = 29.79$
④ $1.225 - 0.34 = 0.885$

05 ◯에는 두 소수의 합을, □에는 두 소수의 차를 써넣으세요.

1.42	11.5	0.9
3.27	21.4	11.4
4.69	32.9	12.3
1.85	9.9	10.5

10 기범이는 3.245 km, 나영이는 2.71 km를 걸었습니다. 기범이는 나영이보다 몇 km를 더 걸었나요?

식 : $3.245 - 2.71 = 0.535$

답 : 0.535 km

총괄 테스트

11 분수는 소수로, 소수는 분수로 바꾸어 보세요.

① $\dfrac{95}{10} = 9.5$
② $\dfrac{2154}{1000} = 2.154$
③ $1.45 = \dfrac{145}{100}$
④ $0.712 = \dfrac{712}{1000}$

16 세로셈으로 계산하세요.

① $\begin{array}{r} 7.8 \\ +\ 4.5\ 1 \\ \hline 12.31 \end{array}$
② $\begin{array}{r} 1\ 2.5\ 7 \\ +\ \ \ 3.1 \\ \hline 15.67 \end{array}$
③ $\begin{array}{r} 4.6 \\ +\ 1.2\ 5 \\ \hline 5.85 \end{array}$

12 □ 안에 알맞은 수를 써넣으세요.

① $0.247 \times 100 = 24.7$
② $3.69 \times 10 = 36.9$
③ $3.54 \times 100 = 354$
④ $5.43 \times 100 = 543$

17 계산을 하세요.

① $3.45 + 5.165 = 8.615$
② $3.54 + 5.1 = 8.64$
③ $31.2 + 5.15 = 36.35$
④ $3.155 + 0.34 = 3.495$

13 세로셈으로 계산하세요.

① $\begin{array}{r} 9.4\ 7 \\ +\ 2.9\ 4 \\ \hline 12.41 \end{array}$
② $\begin{array}{r} 5\ 1.4 \\ -\ 1\ 2.7 \\ \hline 38.7 \end{array}$
③ $\begin{array}{r} 3.7\ 2 \\ +\ 1.9\ 2 \\ \hline 5.64 \end{array}$

18 세로셈으로 계산하세요.

① $\begin{array}{r} 5.5 \\ -\ 1.6\ 4 \\ \hline 3.86 \end{array}$
② $\begin{array}{r} 2\ 6.5\ 7 \\ -\ \ \ 1.6 \\ \hline 24.97 \end{array}$
③ $\begin{array}{r} 1.2 \\ -\ 1.1\ 9\ 9 \\ \hline 0.001 \end{array}$

14 계산을 하세요.

① $4.3 + 5.7 = 10$
② $0.95 + 3.21 = 4.16$
③ $5.33 - 1.11 = 4.22$
④ $4.345 - 0.636 = 3.709$

19 계산을 하세요.

① $4.15 - 3.151 = 0.999$
② $9.4 - 2.515 = 6.885$
③ $19.4 - 1.53 = 17.87$
④ $4.451 - 0.12 = 4.331$

15 ◯에는 두 소수의 합을, □에는 두 소수의 차를 써넣으세요.

3.67	33.7	9.3
9.15	17.5	13.2
12.82	51.2	22.5
5.48	16.2	3.9

20 빨간색 상자의 무게는 14.1 kg, 노란색 상자의 무게는 9.23 kg입니다. 두 상자의 무게의 합은 몇 kg인가요?

식 : $14.1 + 9.23 = 23.33$

답 : 23.33 kg

초등 | 수학 전문가가 만든 연산 교재
원리샘

원리
이해

다양한
계산 방법

충분한
연습

성취도
확인